Éloge
de la différence

Albert Jacquard

Éloge de la différence

LA GÉNÉTIQUE ET LES HOMMES

Éditions du Seuil

EN COUVERTURE : illustration Daniel Maja.

ISBN 2-02-005972-X.
(ISBN 1re publication : 2-02-004938-4).

Un objectif ancien : améliorer l'espèce humaine

Le propre de l'Homme est de transformer ce qui l'entoure, sa nature est de vivre artificiellement. A son profit il manipule le milieu dans lequel il vit et parvient à modifier les espèces végétales ou animales qui lui sont utiles. Fondée sur une connaissance de plus en plus précise des mécanismes du monde inanimé et du monde vivant, son action est devenue de plus en plus efficace. Ce pouvoir nouveau, pourquoi ne pas l'utiliser pour atteindre l'objectif le plus fascinant : améliorer l'Homme lui-même ?

Cette idée est fort ancienne : l'Humanité n'est pas seulement responsable de sa transformation morale ou spirituelle, de son cheminement vers une civilisation meilleure, elle l'est aussi de son devenir biologique. Égyptiens, Hébreux, Grecs avaient déjà le souci de préserver leur « race » d'une éventuelle dégénérescence, d'améliorer sinon l'ensemble, du moins une partie du groupe, d'aboutir à un Homme nouveau, aux facultés supérieures. L'abandon au XIXe siècle des théories fixistes qui voyaient dans chaque espèce une création spécifique, définitive, de Dieu, la découverte du processus de transmission des caractéristiques biologiques entre générations, la connaissance progressivement affinée de la liaison entre la composition du patrimoine génétique et les caractères manifestés par l'individu ont permis de nouveaux espoirs : allons-nous enfin devenir de « nouveaux Pygmalions » façonnant notre propre espèce [35] [1] ?

1. Les chiffres entre crochets renvoient aux références bibliographiques p. 214.

Au-delà des espoirs ou des craintes vagues, il importe de faire le point précis de ce que l'on sait et, surtout, de ce que l'on veut ; de quoi s'agit-il vraiment ?

Pour donner une réponse valable, il est nécessaire de bien comprendre ce qu'apportent les progrès récents de la connaissance, en évitant le piège le plus difficile à déjouer : celui que nous tendent les mots. Utilisé aussi bien dans le langage courant que dans celui des spécialistes, souvent dans plusieurs disciplines, le même mot sert à désigner plusieurs concepts ; au lieu de permettre l'échange, il devient un obstacle à la communication ; au lieu de transmettre un savoir, il induit en erreur. Au risque de paraître énoncer des évidences, de nombreux passages de ce petit livre sont consacrés à définir les « mots » avant de présenter les « choses » ; que signifient les mots : « patrimoine biologique, race, intelligence, amélioration, consanguinité... » ?

Le mot « génétique » lui-même prête à confusion. Il évoque un domaine où la science paraît avoir accumulé les réussites : comment ne pas être émerveillé par les découvertes de cette discipline, toute jeune pourtant, puisqu'elle est née avec ce siècle ? Successivement, la structure du matériel génétique (la fameuse double hélice d'Acide Désoxyribo-Nucléique, l'ADN, qui contient sous forme codée l'information de base), le mode de fabrication des protéines (le « code » génétique), les mécanismes de régulation (l' « opéron ») ont été élucidés. Des processus qui paraissaient, il y a peu de temps, des mystères inaccessibles sont maintenant expliqués par des modèles, parfaitement clairs, exposés dans les manuels scolaires. La génétique moléculaire, la génétique cellulaire nous permettent de *comprendre* de mieux en mieux ce qu'est le fonctionnement du vivant. Dans un tout autre domaine, celui de l'amélioration des plantes et des animaux, le succès a été tout aussi remarquable : les méthodes de sélection, de croisement, d'hybridation ont permis d'obtenir des rendements en lait, en viande, en maïs qui auraient paru fabuleux il y a un siècle ; la branche de la génétique qui oriente le développement de ces méthodes, dite « génétique quantitative », a été merveilleusement efficace, elle a permis d'*agir* sur les espèces, au profit de l'Homme.

Pour ceux qui voudraient s'intéresser à la transformation de notre propre espèce, il s'agirait non d'intervenir ponctuellement sur un individu périssable, mais de modifier de façon irréversible le patrimoine biologique collectif. La discipline scientifique concernée ne serait ni la génétique moléculaire ou cellulaire, ni la génétique quantitative, mais la *génétique des populations*, dont il faut admettre qu'elle est encore balbutiante et qu'elle passe actuellement par une phase de remise en cause douloureuse.

Cette branche de la génétique, moins connue sans doute, parce que plus abstraite, et développée à grand renfort de mathématiques, s'efforce de tirer les conséquences collectives de la vision que nous avons, depuis Mendel, du processus de transmission des caractères de parents à enfants. Son objet essentiel est d'expliquer l'évolution du vivant, de comprendre par quels mécanismes a pu être réalisé le monde qui nous entoure, à partir des quelques molécules d'ADN dispersées dans la « soupe » initiale.

Si l'Homme veut infléchir le cours des choses, s'il veut remplacer le jeu des vieux acteurs, hasard, nécessité, dieux, ou Dieu, par son propre jeu, il lui faut regarder en face son savoir, c'est-à-dire son ignorance.

Le seul objectif de ce livre est de faire le point, un point bien sûr provisoire ; le lecteur y trouvera moins de certitudes que de doutes, moins de réponses que d'interrogations. Mais s'affranchir d'une illusion de compréhension, se débarrasser d'idées reçues, est un premier pas vers la connaissance.

1. Le processus élémentaire : faire un enfant

Toute réflexion sur la génétique a pour point de départ l'évidence d'une certaine ressemblance entre les enfants et les parents. Dans tout le monde vivant, la transmission de la vie s'accompagne de la transmission de certains caractères ; mais quel est le mécanisme de cette transmission ? A vrai dire, il défie le sens commun. Il est utile de relire certains auteurs anciens pour constater à quel point ce problème, même lorsqu'il est posé en termes précis, ne peut avoir de solution de bon sens.

Quelques opinions pré-mendéliennes

Certains auteurs se contentent d'observer et de décrire, sans proposer d'explication ; ainsi Ambroise Paré écrivant à la fin du XVIe siècle [4, p. 86] :

> Les enfans ne ressemblent seulement à leurs père et mère de corsage (comme en ce qu'ils sont grands ou petits, gros ou déliés, camus ou bossus, boiteux ou tordus), de parler et de manière de cheminer ; mais aussi des maladies auxquelles les dits père et mère sont sujets, qu'on appelle héréditaires, comme il se voit aux lépreux, goutteux, épileptiques, lapidaires, splénétiques, asthmatiques. Par quoy celui qui sera goutteux, lépreux ou autres dispositions susdites s'il engendre un enfant, à grand peine pourra-t-il

> évader qu'il ne soit sujet aux maladies du père et de la mère : ce que toutefois n'advient pas toujours, comme l'expérience le montre : laquelle chose se fait par la bonté de la semence de la femme et température de la matrice corrigeant l'intempérance de la semence virile, tout ainsi que celle de l'homme peut corriger celle de la femme.

De même Montaigne exprimait son désarroi devant ce mystère : il est atteint de la gravelle au même âge que son père ; par quel prodige celui-ci lui a-t-il transmis son mal [59, p. 742] ?

> Cette légère pièce de sa substance dequoy il me bastit, comment en portait-elle pour sa part une si grande impression ?... Qui m'exclaircira de ce progrez, je le croiray d'autant d'autres miracles qu'il voudra : pourveu que, comme ils font, il ne me donne pas en payement une doctrine beaucoup plus difficile et fantastique que n'est la chose mesme.

Quelle leçon donnée au passage aux cuistres proposant des explications plus complexes et mystérieuses que la question posée !

D'autres imaginent des théories qui nous semblent fort étranges et dont, à vrai dire, nous comprenons mal qu'elles aient été admises par des esprits qui se voulaient rigoureux. Pour Buffon les « liqueurs séminales » mâle et femelle contiennent des particules envoyées par toutes les parties du corps, qui se mettent miraculeusement en place pour constituer l'enfant [4, p. 109] :

> Je crois donc que la liqueur séminale du mâle répandue dans le vagin et celle de la femme répandue dans la matrice sont deux matières également actives, également chargées de molécules organiques propres à la génération.
> Je conçois que, par le mélange des deux liqueurs séminales, cette activité des molécules organiques de chacune des liqueurs est comme fixée par l'action contre-balancée de l'une et de l'autre, en sorte que chaque molécule organique venant à cesser de se mouvoir, reste à la place qui lui convient et cette place ne peut être que celle qu'elle occupait auparavant dans l'animal. Ainsi toutes

les molécules qui auront été envoyées de l'épine du dos se fixeront de même dans un ordre comparable tant à la structure qu'à la position des vertèbres.

La théorie des « gemmules » de Darwin n'était guère plus convaincante que celle de Buffon ; pour lui, les diverses caractéristiques et fonctions de chaque cellule de l'organisme sont sous la dépendance d'une ou plusieurs particules très petites, les gemmules. Les gemmules du père et de la mère se retrouvent dans chaque cellule de l'embryon dotée ainsi de caractéristiques intermédiaires entre celles de la cellule paternelle et celles de la cellule maternelle correspondantes.

Oublions ce que nous savons et essayons d'imaginer comment un individu peut être engendré à partir de deux autres ; cet événement, si quotidien, paraît tellement inexplicable que la première tentation est d'admettre qu'un seul des parents joue véritablement un rôle. Telle était la position des « spermatistes » selon lesquels chaque spermatozoïde contient un bébé tout fait qui n'a plus qu'à grandir dans le sein maternel.

Cette théorie s'était développée après les premières observations du sperme au microscope ; ces observations avaient révélé la présence de petites particules animées, qualifiées d'« homuncules ». Elle était facilement acceptée car elle donnait une réponse facile à certains problèmes, ainsi celui du péché originel : certains chrétiens étaient choqués d'avoir à supporter un péché qu'ils n'avaient pas commis ; mais la théorie des spermatistes s'accompagnait de celle de l'« emboîtement » : ce bébé présent dans le spermatozoïde a lui-même des testicules dans lesquels se trouvent des spermatozoïdes contenant chacun un bébé qui lui-même... Toutes les générations, passées comme futures, se trouvent ainsi emboîtées les unes dans les autres, comme une série de poupées russes, depuis Adam jusqu'à la fin du monde. Nous étions donc présents dans le corps d'Adam lorsqu'il s'est rebellé contre Dieu, il est juste que nous soyons punis ! Une théorie biologique ne peut se développer et être largement acceptée que dans la mesure où elle correspond aux préoccupations de l'époque ; elle court donc le risque d'être détournée de son objet et d'être utilisée pour justifier d'étranges raisonnements ; nous en verrons des exemples plus actuels.

Aux « spermatistes » se sont opposés les « ovistes » soutenant qu'au contraire le bébé est préfabriqué dans l'ovule de la mère, le sperme permettant simplement le déclenchement du processus de développement sans rien apporter d'essentiel.

La difficulté avec ces deux théories est que l'enfant reçoit son héritage biologique d'un seul des deux parents et n'a donc aucune raison de ressembler à l'autre, ce qui est clairement démenti par l'observation.

La théorie des gemmules de Darwin, semblable à celle des « liqueurs » de Buffon et assez universellement acceptée à la fin du XIXe siècle au moins à titre d'hypothèse provisoire, admet que les deux parents participent, à égalité, à la fabrication de l'enfant ; mais elle aboutit, elle aussi, à un paradoxe insurmontable : pour chaque caractère l'enfant représenterait la moyenne des mesures de ses parents ; au sein d'une population, considérée dans son ensemble, la dispersion des caractères des individus ne pourrait donc que diminuer à chaque génération ; rapidement tous les individus seraient sinon identiques du moins très semblables, ce qui n'est guère conforme à l'observation.

Ce « paradoxe de la variance » ne pouvait être surmonté sans recourir à des concepts totalement différents. Le « modèle » permettant de comprendre le mécanisme de la reproduction sexuée a été imaginé par un moine d'un monastère de Brno, Gregor Mendel. Dès 1865, il avait proposé une explication nouvelle de la transmission des caractères ; mais, en raison même de leur nouveauté, ses idées n'avaient eu aucun retentissement ; il fallut attendre 1900 pour que, les esprits étant mieux préparés, ce modèle, qui est la base de la génétique, soit enfin compris, accepté, développé [58].

L'apport de Mendel

Le mérite extraordinaire de Mendel est de n'avoir pas biaisé avec la difficulté essentielle rencontrée au cours des expériences d'hybridation : la disparition puis la réapparition de certains caractères au fil des générations.

Imaginons l' « expérience » suivante : nous peuplons une île de femmes provenant d'une population où tout le monde a, depuis de nombreuses générations, le groupe « plus » pour le système sanguin Rhésus, et d'hommes venant d'une population où tout le monde a le groupe « moins ». On constate que tous leurs enfants ont le groupe « plus » ; en cette première génération le caractère « moins » a totalement disparu. Mais dans la génération suivante, ce caractère réapparaît et se manifeste chez environ un quart des petits-enfants. Ce phénomène assez prodigieux est rencontré chaque fois que nous renouvelons l'expérience, la proportion 1/4 est chaque fois constatée.

Puisqu'il réapparaît, le caractère « moins » était nécessairement présent chez certains des enfants de la première génération ; sous quelle forme ? Pourquoi ne se manifestait-il pas ?

L'idée géniale de Mendel (qui travaillait sur des pois et non sur des hommes, ce qui simplifie les expériences, mais ne change rien à leur sens fondamental) a été d'admettre que le caractère étudié (dans notre exemple imaginaire le système Rhésus, dans ses propres expériences la couleur des cotylédons, l'aspect lisse ou ridé des graines...) est gouverné non par *un* facteur héréditaire, mais par *deux* facteurs reçus l'un du père, l'autre de la mère. Ces deux facteurs agissent conjointement ; le caractère observé résulte de leurs actions à tous deux ; mais ils restent inaltérés tout au cours de la vie de l'individu. Ils coexistent, mais ils ne se modifient pas l'un l'autre. Lorsque l'individu procrée, il transmet à son enfant l'un des deux facteurs qu'il avait reçus, le choix du facteur transmis étant laissé au hasard.

Pour Mendel, il ne pouvait s'agir que d'une hypothèse, d'un modèle, comme nous disons maintenant. Les progrès réalisés dans la connaissance des cellules, de leurs noyaux, de leurs chromosomes, ont montré que cette théorie est, en tous points, conforme à la réalité : les « facteurs » évoqués par Mendel sont ce que nous appelons les « gènes », séries de molécules chimiques situées en des emplacements précis sur les chromosomes. Leur action et leur transmission de parents à enfants correspondent à ce qu'avait imaginé Mendel.

Chaque cellule de l'individu I (et son corps en comporte plusieurs centaines de milliards) est dotée d'un noyau comprenant une série de 23 paires de filaments, les chromosomes ; ces 46 filaments reproduisent à l'identique 23 chromosomes fournis par le spermatozoïde paternel et 23 chromosomes fournis par l'ovule maternel. Les divers processus nécessaires au développement et au fonctionnement de l'organisme sont définis et régulés par des informations inscrites sous forme codée (le fameux code génétique) sur les chromosomes. Chaque cellule de I, qu'elle appartienne à son foie ou à son cerveau, connaît le prodigieux secret permettant de fabriquer I dans sa totalité à partir d'une cellule initiale ; avant d'être une cellule hépatique ou nerveuse ayant des fonctions bien spécifiques, elle « sait » qu'elle appartient à I et est reconnue comme telle par ses voisines.

Certaines cellules cependant font exception, les cellules sexuelles : les spermatozoïdes émis par I (s'il est un homme), les ovules (s'il est une femme) ne contiennent qu'une série de 23 chromosomes, un de chaque paire ; elles ne possèdent donc que la moitié de l'information génétique qu'avait reçue I lors de sa conception ; le processus de fabrication des ovules et des spermatozoïdes est tel que cette moitié est réalisée en puisant à égalité dans l'apport du père de I et l'apport de sa mère. Il est clair que ce mécanisme biologique a des conséquences sur la transmission des caractères correspondant très exactement au modèle mendélien.

Une telle vision du processus de l'hérédité modifie profondément les idées de « bon sens » que nous avions spontanément à ce sujet, mais il n'est guère facile d'en prendre conscience, comme en témoigne l'opposition entre les mots que nous employons et le sens qu'il faut leur donner.

Les mots et leur sens

Au-delà du sens précis qui lui est explicitement attribué, chaque mot véhicule une certaine vision globale, révélée en partie par son étymologie. Il est remarquable que les phrases que nous prononçons à propos de la procréation recèlent souvent une contradiction entre leur sens et cette vision. Ainsi, déclarer : « un individu se reproduit », est doublement contradictoire.

Le mot *individu* évoque l'*indivisibilité* : il n'est pas possible d'analyser un individu en ses constituants sans le détruire en tant qu'être, il ne peut être divisé. Mais dans l'acte nécessité par la reproduction, c'est justement cette division qui est réalisée. De façon plus précise, chaque spermatozoïde ou chaque ovule reçoit une copie de la moitié des informations initiales qui avaient été transmises à cet individu par ses parents lors de sa conception, et à partir desquelles il s'était peu à peu constitué.

Il est nécessaire de bien comprendre la totale opposition entre ce mécanisme et celui admis avant Mendel, par exemple par Darwin : pour ce dernier chaque parent transmet à l'enfant la totalité de son information biologique, ce qui respecte bien le concept d'indivisibilité ; les deux stocks d'informations, celui venant du père, celui venant de la mère se mélangent pour constituer une information « moyenne », de même que deux liquides blanc et rouge se mêlent pour créer un liquide rosé. Au contraire, pour Mendel, chaque parent n'apporte que la moitié de l'information qu'il possède ; chez l'enfant ces deux moitiés se juxtaposent, sans se mélanger, pour reconstituer un ensemble complet. Cet ensemble, en tant que collection d'informations, est d'ailleurs entièrement nouveau, différant autant d'un parent que de l'autre.

Il n'y a donc pas « *reproduction* ». Ce mot implique la réalisation d'une image aussi voisine que possible de l'original ; tel est bien le cas pour les bactéries capables de se dédoubler en fabriquant une image d'elles-mêmes, et généralement pour tous les êtres non sexués. Mais l'invention de la sexualité, c'est-à-dire d'un mécanisme nécessitant la collaboration de deux êtres pour en fabriquer un troisième, a supprimé cette capacité de reproduction. Un être sexué ne peut se reproduire. L'enfant n'étant la reproduction de personne est en fait une création définitivement unique. Cette unicité résulte du nombre fabuleux d'enfants différents qui pourraient être procréés par un même couple : imaginons que, pour un caractère donné, par exemple le système sanguin Rhésus, le père et la mère soient chacun dotés de deux gènes distincts, a et b ; les enfants qu'ils procréent peuvent recevoir soit deux gènes a, soit deux gènes b, soit un gène a et un gène b ; pour chaque caractère 3 combinaisons sont ainsi possibles ; pour un ensemble de 2 caractères, $3^2 = 9$ combinaisons, pour n caractères, 3^n combinaisons ; ce dernier chiffre est « astronomique » dès que n dépasse quelques dizaines ; ainsi pour un ensemble de 200 caractères, ce nombre est de 3^{200} [1] ce qui est pratiquement « infini » puisqu'il s'agit d'un nombre comportant 94 chiffres, des milliards de fois plus grand que le nombre total d'atomes de notre univers, en y incluant les galaxies les plus lointaines.

Cette possibilité de diversité est l'apport propre de la reproduc-

1. C'est-à-dire 3 multiplié deux cents fois par lui-même.

tion sexuée : le réel est unique mais les possibles sont infiniment nombreux ; comment ce réel est-il choisi ? Ici, il faut introduire un concept bien mal servi par le mot éculé qui lui est associé : le hasard.

Le hasard

Ce terme est utilisé dans tant d'occasions qu'il a perdu tout sens précis ; nous l'emploierons ici en éliminant toute connotation métaphysique, qui ferait du hasard un dieu tout-puissant et inaccessible, ayant une existence objective, une volonté propre. Le hasard auquel nous nous référons est lié au processus de la connaissance et de la prévision. Face à une certaine réalité, je cherche à comprendre les rapports entre les phénomènes que j'observe ; j'utilise ensuite cette compréhension pour prévoir les phénomènes à venir. Ainsi, la compréhension du mouvement des astres, la connaissance du phénomène de l'attraction des masses me permettent de prévoir, avec précision, les mouvements futurs des étoiles, ou les éclipses de soleil.

Mais, bien souvent, cette connaissance est insuffisante pour qu'une prévision soit possible ; ainsi du lancement d'un dé : nous ne pouvons prédire le résultat car les phénomènes en jeu sont trop complexes et trop mal connus. Nous disons alors que ce résultat dépend du hasard. Nous pouvons cependant imaginer que notre connaissance pourra s'affiner et que, sachant mieux les caractéristiques du dé, celles de la force initiale qui le lance, la résistance de l'air..., nous serons en mesure un jour de prévoir ce résultat à coup sûr ; le hasard aura fait place au déterminisme.

Tel ne semble pas le cas lorsqu'il s'agit de réaliser un spermatozoïde ou un ovule en désignant, pour chaque caractère élémentaire, le gène qui sera transmis. Sans doute des déterminismes interviennent au niveau moléculaire, mais le nombre de résultats possibles est si grand que nous ne pouvons guère espérer aboutir à une connaissance suffisamment fine du phénomène. Tout se passe comme si nous devions, définitivement, nous référer au hasard pour expliquer le réel. Notre seule possibilité, pour mieux cerner le processus étudié, est de préciser la probabilité de chaque résultat : l'essence des lois de Mendel est d'affirmer que chaque gène, paternel ou maternel, a la même probabilité, 1/2, d'être choisi.

Ainsi la transmission du patrimoine génétique apparaît-elle comme le résultat d'un nombre immense de loteries chargées de désigner pour chaque caractère, parmi les deux gènes présents, le gène choisi. Le mécanisme de la reproduction sexuée introduit le hasard au cœur même du phénomène, le mot « hasard » étant compris comme *l'ensemble des facteurs qui interviennent ou paraissent intervenir dans un processus mais dont nous ne savons pas, définitivement peut-être, préciser l'action.* Pour comprendre la transmission de la vie nous ne pouvons nous contenter d'évoquer les deux acteurs que sont le *père* et la *mère* ; ils proposent des copies de leurs collections de gènes ; mais le choix entre ces copies, réalisé moitié chez l'un, moitié chez l'autre, pour reconstituer une collection complète, est l'œuvre du *hasard.*

« Génotype » et « phénotype »

Nous voyons mieux maintenant combien il est nécessaire de distinguer dans chaque être deux aspects : d'une part, l'individu que nous voyons, unitaire, monolithique, vivant une expérience unique de développement, de vieillissement, puis de disparition ; d'autre part, la collection de gènes dont il est doté, gènes multiples dans leurs fonctions, provenant de deux origines immédiates, le père et la mère, capables de faire d'eux-mêmes un nombre illimité de copies, inaltérables, inaccessibles aux attaques du temps, quasi éternels puisqu'ils seront toujours identiques à eux-mêmes lorsqu'on les retrouvera présents chez le fils ou le petit-fils longtemps après la mort du père.

Cette dualité est fondamentale ; ne pas la reconnaître est la source de la plupart des contresens commis à propos de la transmission des caractères. Il est utile de fixer cette dualité par des mots ; ceux qui sont disponibles sont malheureusement bien pédants :

— le « phénotype » correspond à l'*apparence* de l'individu, ou plus précisément à l'ensemble des caractéristiques que l'on peut mesurer ou qualifier chez lui, et dont certaines sont, en fait, bien peu apparentes, nécessitant des investigations complexes, ainsi certains systèmes sanguins ;

— le « génotype » correspond à la *collection de gènes* dont a été doté l'individu lors de sa conception.

L'étude de la transmission des caractères consiste à préciser l'interaction entre génotype et phénotype, en tenant compte, bien sûr, du rôle du milieu. Cette interaction est nécessairement complexe ; il faut se méfier de toute explication simpliste, se méfier surtout des conclusions chiffrées, obtenues au terme de longs raisonnements et de calculs laborieux, et qui donnent l'illusion d'une compréhension claire du phénomène. La seule démarche scientifique sérieuse est celle qui respecte la réalité : si celle-ci est complexe, la présenter de façon simple ne peut être qu'une trahison.

Lorsque nous pensons à la succession des individus au cours des générations, au sein d'une même lignée, il est nécessaire de considérer le « caractère » manifesté par un individu comme dépendant :

— des gènes qu'il a reçus de son père et de sa mère (et dont il transmettra la moitié à ses propres enfants),

— de l'influence exercée sur ce caractère par les divers facteurs du « milieu », ce terme englobant aussi bien les facteurs matériels (chaleur, humidité, nourriture...) que relationnels (famille, école, société...).

La ressemblance entre enfants et parents évoquée par le dicton, « Tel père, tel fils », est donc une constatation dont les causes ne peuvent être explorées facilement, dont la portée même est limitée.

En ce domaine, le seul élément objectif, certain, est la transmission par moitié du patrimoine génétique. L'inaltérabilité de ce patrimoine justifie la formule selon laquelle il n'y a pas « hérédité des caractères acquis » ; en effet, les transformations subies par un individu du fait de son aventure personnelle ne peuvent en aucune manière modifier la structure de ses gènes : aux « mutations » près (accidents extrêmement rares), il transmet ceux-ci tels qu'il les a reçus, sans trace des événements survenus au long de sa vie.

Mais cette formule n'est conforme à la réalité que dans ce sens étroit : en fait le caractère manifesté par l'enfant dépend non seulement des gènes inaltérables transmis par ses parents, mais de l'influence exercée par ceux-ci tout au cours de sa formation, formation dont la durée est particulièrement grande dans le cas de notre espèce. Cette influence dépend naturellement de toute l'expérience qu'ils ont accumulée, ce qui donne un rôle indéniable aux « caractères acquis ».

De même, il serait abusif d'assimiler la dualité « génotype-phénotype » du biologiste à la dualité « essence-existence » du philosophe. Certes, le patrimoine génétique contient la totalité des informations nécessaires au développement et au fonctionnement de l'organisme ; un organisme semblable peut être réalisé à partir de cette seule collection d'informations, comme le montre l'expérience si simple du bouturage des plantes : un arbre entier, biologiquement identique au premier, peut être obtenu à partir d'un simple rameau, car ce rameau contenait dans ses cellules les informations concernant l'ensemble de l'arbre. Mais, lorsqu'il s'agit d'un homme, il est difficile de réduire l'être réalisé aux règles qui gouvernaient son développement ; les multiples événements qui l'ont façonné, qui ont réalisé son phénotype, font autant partie de son essence que les gènes initiateurs. Nous verrons à propos de la relation entre intelligence et génétique combien il est dangereux d'accepter de tels parallèles trop faciles.

La moins mauvaise image peut sans doute être obtenue en évoquant la musique : le génotype, c'est la partition, le phénotype, c'est la symphonie que nous entendons, marquée par la personnalité du chef d'orchestre, merveilleuse ou sans éclat selon le talent des exécutants. Lorsqu'il s'agit de génétique, nous n'avons guère accès, dans l'état actuel de nos connaissances, à la partition ; nous devons nous contenter d'observer l'interprétation que le milieu, c'est-à-dire l'ensemble des événements de l'aventure vécue par chacun, a réalisée.

Faisons un dessin

La distinction que nous venons de faire entre génotype et phénotype est fondamentale ; faisons un dessin pour la préciser : le plan inférieur concerne les génotypes : trois individus, le père P, la mère M et l'enfant E, y sont représentés, ou plutôt symbolisés, chacun, par un cercle ; à l'intérieur des cercles deux traits représentent les deux collections de gènes qui constituent le patrimoine génétique de chacun ; de M vers E et de P vers E une flèche indique la transmission d'une moitié de ce patrimoine ; ces flèches partent d'arcs de cercles évoquant le fait que les moitiés transmises à E par P et par M sont choisies au hasard.

Ce schéma est remarquablement simple, il traduit fidèlement le « modèle mendélien ». Mais il n'en est plus de même dans la partie supérieure du dessin concernant les phénotypes. Nous retrouvons nos trois personnages, Père, Mère, Enfant, représentés cette fois par des silhouettes, puisqu'il s'agit des caractères qu'ils manifestent et non des gènes cachés dans les noyaux de leurs cellules.

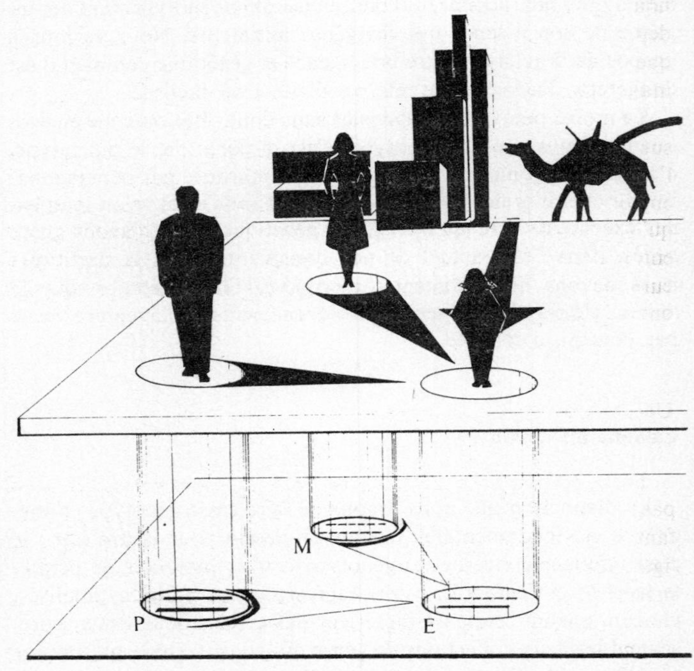

Figure 1

Des colonnes joignent le cercle symbolisant le génotype de chacun à la silhouette symbolisant son phénotype ; elles ne correspondent pas à une transmission d'objets matériels, mais à une dépendance : le phénotype ne se réalise progressivement que grâce aux informations apportées par le génotype ; à mesure des besoins, des substances chimiques, principalement des protéines, sont fabriquées par l'organisme selon des procédés, des méthodes d'assemblage, qui sont décrits avec précision dans le génotype :

nous pouvons dire que celui-ci « gouverne » le phénotype. Cette dépendance est dirigée uniquement du bas vers le haut : quelles que soient les aventures vécues par l'individu, son génotype reste inaltéré, les « caractères acquis » ne se transmettent pas aux gènes.

Ce qui complique le schéma du plan supérieur est l'influence, sur le phénotype de E, de ceux de ses parents et de l'ensemble de l'« environnement ». Ce dernier mot, volontairement imprécis, englobe aussi bien la nourriture absorbée par E que les radiations qu'il a subies, les chocs qu'il a reçus, l'affection dont il a été entouré, l'enseignement, sous toutes ses formes, qu'on lui a procuré : il s'agit de toutes les influences, physiques ou morales, qui ont fait l'individu à partir de l'embryon.

Un accident : les mutations

La belle simplicité de la partie inférieure de notre dessin n'est pas, à vrai dire, toujours conforme à la réalité. Il arrive que l'enfant E reçoive dans son patrimoine génétique des gènes qui ne figuraient ni dans celui de son père, ni dans celui de sa mère. Plus précisément un accident s'est produit, à un stade quelconque de la transmission, et tel gène ayant une action bien définie a été transformé en un gène ayant une autre action, une « mutation » a eu lieu.

D'innombrables observations, portant notamment sur des micro-organismes ou sur les fameuses mouches « drosophiles », ont permis de préciser l'influence de certains facteurs (ainsi les diverses radiations) sur la fréquence de ces mutations, mais les résultats restent fort imprécis. La fréquence du remplacement d'un gène par un autre semble être de l'ordre de 1 sur cent mille ou 1 sur un million. L'événement est donc très rare ; il n'en a pas moins une importance considérable car, pour une espèce prise dans son ensemble, il est la seule source de novation génétique.

L'évolution du monde vivant, l'apparition de fonctions nouvelles, d'espèces nouvelles, nécessitent des modifications du patrimoine génétique que seules les mutations peuvent apporter. Notons enfin qu'en plus des mutations ponctuelles concernant un gène isolé, on observe des remaniements concernant des portions entières de chromosomes, dont le rôle dans l'évolution des espèces semble avoir été primordial.

Caractères élémentaires et caractères complexes

Nous constatons que le mot « caractère », que nous avons beaucoup utilisé, contient lui aussi un piège.

Lorsque nous parlons d'un système sanguin, comme le système Rhésus, la réalisation, le phénotype, dépend très directement des gènes qui le gouvernent ; il suffit dans ce cas de connaître le génotype pour connaître le phénotype (sans que d'ailleurs la réciproque soit vraie puisque à un même phénotype peuvent correspondre plusieurs génotypes). Dans le cas du système Rhésus, tout au moins dans la vision simplifiée que nous adoptons ici, la correspondance est directe ; les gènes sont de deux catégories, désignons-les par les lettres R et r ; chaque individu possédant deux gènes, trois associations, trois génotypes, sont possibles : RR, Rr et rr ; aux deux premiers correspond le phénotype « plus », au troisième le phénotype « moins » ; autrement dit le gène R entraîne par sa présence le caractère « plus », qu'il soit en double dose (chez les individus dits « homozygotes » RR) ou en simple dose (chez les individus dits « hétérozygotes » Rr) ; par contre le gène r n'entraîne le caractère « moins » que s'il est en double dose (chez les individus « homozygotes » rr). Dans ce cas, que Mendel avait rencontré pour les caractères qu'il étudiait sur les pois, on dit que le gène R est *dominant* alors que le gène r est *récessif.*

Un déterminisme aussi rigoureux et aussi direct du phénotype à partir du génotype ne se rencontre que pour certains caractères dont la manifestation est liée de façon stricte à un couple de gènes ; on qualifie ces caractères d'élémentaires, ou de mendéliens (pour la raison que les lois de Mendel leur sont directement applicables). Tel est le cas de nombreux systèmes sanguins, de maladies entraînées par des erreurs innées du métabolisme, et de certains traits en général insignifiants comme la capacité à enrouler sa langue en forme de gouttière ou la capacité à percevoir le goût d'un produit chimique de synthèse appelé Phenyl-Thio-Carbamide : chacun de nous est « rouleur » ou « non rouleur » de langue, « goûteur » ou « non goûteur » de ce produit selon qu'il a reçu ou non le gène qui permet d'enrouler sa langue ou de sentir l'effet de la PTC sur les papilles gustatives.

Même lorsque ce modèle simple, faisant appel à un seul couple de gènes, correspond à la réalité, il peut entraîner une opposition fondamentale entre l'univers des phénotypes et celui des génotypes. Imaginons une « tare » causée par un gène t récessif (comme l'est le gène r du système Rhésus) : seuls les individus homozygotes (tt) sont atteints, les autres, qu'ils soient (tT) ou (TT), sont sains. Dans une île A vivent 100 personnes, 40 sont (tT), 60 sont (TT), dans une autre île B également 100 personnes mais réparties en 10 (tt) et 90 (TT) ; pour les autorités médicales, l'île B est réputée en plus mauvais état physique, puisque 10 % des habitants y manifestent cette tare, alors que dans l'île A personne ne la présente ; pour le généticien, l'île A est au contraire plus sévèrement touchée puisque la fréquence du gène délétère y est de 20 %, alors qu'elle n'est que de 10 % dans l'île B. Les deux points de vue sont contradictoires, mais parfaitement compatibles ; ils concernent deux objets distincts : l'un le réel observable, l'autre le réel profond, inaccessible, mais lourd de menaces pour l'avenir — car si nous nous intéressons non plus aux habitants actuels de ces îles, mais à leurs enfants, non plus au présent, mais à l'avenir, nous constatons que le risque d'une naissance d'enfant taré est quatre fois plus élevé dans l'île A. Ce résultat fait appel à un raisonnement global que nous exposons au chapitre suivant, concernant non plus la génétique des individus mais la génétique des populations.

En fait, pour la plupart des « caractères » au sens habituel du terme, ce modèle simple faisant correspondre un couple de gènes au caractère étudié, ne correspond aucunement à l'observation ; les mécanismes mis en jeu par l'expression du caractère sont nombreux, imbriqués les uns dans les autres ; ils dépendent de gènes multiples autant que du « milieu » ; le trait finalement observé chez un individu ne peut être totalement expliqué par ceux constatés chez ses parents.

En insistant sur cette difficulté nous ne cherchons nullement à minimiser l'intérêt des recherches en génétique. Toute recherche scientifique procède nécessairement en analysant les cas les plus simples ; ainsi les physiciens étudient les gaz « parfaits » ou les solides « parfaitement » élastiques, alors qu'ils sont bien conscients de l'impossibilité de rencontrer cette perfection dans la nature. Nous voulons simplement souligner les précautions nécessaires lorsque l'on veut extrapoler, à des problèmes du monde réel, les résultats mis en évidence en développant des modèles élémentaires. Nous verrons au cours des prochains chapitres que cette précaution est rarement observée et que bien des affirmations présentées à grand renfort de mots savants ou de références à la science ne sont que des cuistreries oscillant entre la lapalissade et la contrevérité.

2. Le processus collectif : structure et succession des générations

Tous les raisonnements du chapitre précédent concernent des individus : un couple procréateur, l'enfant. Mais lorsque nous nous intéressons à l' « Humanité », à une « race » ou à une nation, nous évoquons un ensemble d'individus ; l'objet de notre réflexion devient, dans l'univers des « phénotypes », la société que constituent ces individus et, dans l'univers des « génotypes », le patrimoine génétique collectif dont ils sont porteurs.

L'objet de la discipline qui s'est développée depuis le début de ce siècle sous le nom de « génétique des populations » est d'étudier les transformations de ce patrimoine, de ce « fonds » génétique, appelé « genetic pool » par les auteurs anglo-saxons. Il faut pour cela préciser celles des multiples caractéristiques de ce « fonds » que nous prenons en considération et faire des hypothèses sur les conditions dans lesquelles les générations se succèdent, c'est-à-dire bâtir des « modèles », plus ou moins réalistes.

Chaque individu a reçu plusieurs centaines de milliers de paires de gènes, chaque paire étant chargée de gouverner une fonction élémentaire, par exemple la synthèse d'une enzyme. Même en se limitant aux quelques centaines de telles fonctions élémentaires dont le déterminisme génétique a pu être précisé chez l'Homme, la connaissance de la structure génétique d'un groupe d'individus nécessiterait une information que nous sommes bien loin de posséder. Le plus souvent on se borne à rechercher la fréquence, dans la population étudiée, des divers génotypes possibles pour une fonction donnée.

Ainsi, nous avons évoqué au chapitre précédent le cas du système sanguin Rhésus : en simplifiant beaucoup les choses, on peut admettre que deux gènes R et r interviennent, ce qui entraîne la présence dans la population de 3 « génotypes » les homozygotes (RR) ou (rr) et les hétérozygotes (Rr). Mais le nombre de gènes situés en un emplacement donné des chromosomes, c'est-à-dire gouvernant un même caractère, peut être très élevé, plusieurs dizaines parfois ; désignons ce nombre par la lettre n : l'on rencontre alors n génotypes homozygotes et $n(n-1)/2$ génotypes hétérozygotes ; ainsi pour le système sanguin « ABO », l'on connaît 4 gènes A_1, A_2, B et O, et 10 génotypes : les 4 génotypes homozygotes (A_1A_1), (A_2A_2), (BB) et (OO), et les $(4 \times 3)/2 = 6$ génotypes hétérozygotes (A_1A_2), (A_1B), (A_1O), (A_2B), (A_2O), (BO).

La connaissance des fréquences de ces génotypes dans une population nous permet de définir sa « structure génétique ». Bien sûr, cette information est le plus souvent inaccessible ; pour simplifier on peut se contenter de rechercher la fréquence des divers gènes dans le « pool » génétique global, sans se préoccuper de leurs associations deux par deux chez les individus ; on pourra alors comparer deux populations en fonction de leur plus ou moins grande richesse en chaque gène.

De nombreuses études ont été ainsi réalisées, permettant de dresser des cartes du monde où les lignes qui habituellement joignent les points de même altitude (les lignes de niveau) ou de même hauteur de pluie (les isohyètes) joignent les points où l'on a trouvé les mêmes fréquences pour tel ou tel gène ; cette « hématologie géographique », pour reprendre l'expression des professeurs Bernard et Ruffié [5], a connu un grand développement au cours des récentes années, aboutissant à la publication en 1976 d'un atlas [63] qui décrit, en plus de mille pages, la répartition sur notre globe des gènes correspondant à 67 systèmes génétiques distincts. Nous reviendrons sur l'interprétation de ces données qui apportent un nouvel éclairage à l'étude des « races » humaines et peuvent contribuer aux recherches sur les grandes migrations et sur le peuplement des diverses contrées.

Pour l'instant, nous nous limitons à une constatation assez étonnante, qui a constitué la première grande « découverte » des généticiens de populations : la connaissance des fréquences des gènes permet de calculer avec une excellente précision celles des divers génotypes.

Une « loi » célèbre : la loi de Hardy-Weinberg

Il paraît clair que les associations de gènes rencontrées dans une génération dépendent de la façon dont les individus de la génération précédente se sont associés pour procréer. Pour des fréquences des gènes identiques, les fréquences des génotypes peuvent être fort différentes. Ainsi la fréquence du gène R du système Rhésus serait égale à 1/2 aussi bien dans une population composée en totalité d'hétérozygotes (Rr) (ce qui suppose que la génération précédente ait été composée d'individus (RR) et (rr), les premiers procréant systématiquement avec les seconds), que dans une population comportant pour moitié des homozygotes (RR) et des homozygotes (rr) (ce qui se produit si les (RR) procréent entre eux, et les (rr) entre eux).

Mais des cas aussi extrêmes ne correspondent guère au réel observé. Il est remarquable que, dans la pratique, l'on puisse prévoir, sans écart décelable, les fréquences des génotypes dès que l'on connaît celles des gènes :

— *la fréquence des homozygotes (aa) est égale au carré de la fréquence du gène a,*

— *la fréquence des hétérozygotes (ab) est égale à deux fois le produit des fréquences du gène a et du gène b* [1].

Ainsi dans une population où, pour une même fonction, deux gènes a et b sont en présence, le premier avec la fréquence 1/10, le second avec la fréquence 9/10, les trois génotypes possibles ont les fréquences 1/100 pour (aa), 18/100 pour (ab), 81/100 pour (bb) [2].

Ce résultat est dû au mathématicien anglais Hardy et au biologiste allemand Weinberg qui l'ont établi simultanément en 1908, quelques années après la redécouverte des lois de Mendel.

Il s'agit, certes, de l'aboutissement d'un raisonnement mathématique qui nécessite de nombreuses hypothèses, l'ensemble de celles-ci constituant un « modèle », désigné par le terme *panmictique*, qui peut sembler bien peu réaliste. L'on doit notamment

1. Pour le lecteur que ne rebute pas un raisonnement probabiliste simple, justifions ces résultats :

Pour qu'un enfant soit homozygote (aa), il faut que deux événements se soient produits : transmission d'un gène a par son père, transmission d'un gène a par sa mère. Chacun de ces événements a une probabilité, égale à la fréquence du gène a. La probabilité pour que deux événements indépendants se produisent l'un et l'autre est égale au produit de leurs probabilités ; la probabilité de recevoir deux gènes a est donc égale au carré de la fréquence de a (c'est-à-dire 4 %, si cette fréquence est de 20 %).

Pour qu'un enfant soit hétérozygote (ab), il faut :

— soit que son père ait transmis un gène a et sa mère un gène b, événement de probabilité égale au produit des fréquences des gènes a et b,

— soit que son père ait transmis un gène b et sa mère un gène a, événement de probabilité égale au même produit.

La probabilité pour que l'un de ces deux événements incompatibles se produise est égale à la somme de leurs probabilités. La fréquence du génotype (ab) est donc égale à deux fois le produit des fréquences de a et b (c'est-à-dire 12 % si ces fréquences sont de 20 % et 30 %).

2. Notons que les deux îles A et B que nous avions imaginées au chapitre I n'étaient pas conformes à ce modèle ; elles n'étaient pas en « équilibre ». Dans l'île A, par exemple, la fréquence du gène t est de 20 %, les 3 génotypes auraient donc dû avoir la répartition : 4 (tt), 32 (tT) et 64 (TT) et non, comme nous l'avions admis, 0, 40 et 60. Un tel écart peut fort bien se produire à la suite de migrations, mais il ne peut durer.

supposer que les mariages ont lieu au hasard, c'est-à-dire que les gènes étudiés ne sont pas à l'origine d'un choix du conjoint. Dans les populations humaines où ce choix est généralement soumis à de nombreuses règles, on pourrait penser que ce modèle n'a aucun rapport avec la réalité et que le résultat de Hardy-Weinberg est inutilisable. En fait, chaque fois qu'une vérification a pu être réalisée, on a constaté un accord excellent entre la répartition constatée et celle correspondant au modèle ; les écarts sont inférieurs aux erreurs d'échantillonnage : pour délibéré qu'il soit, le choix du conjoint n'a donc en pratique, sauf rares cas particuliers, aucune conséquence collective décelable sur la répartition des gènes dans la génération suivante.

Malgré une formulation un peu abstraite, cette loi ne représente pas seulement une curiosité mathématique pour des biologistes doublés de polytechniciens ; elle permet une interprétation correcte de faits qui pourraient paraître paradoxaux.

Reprenons l'exemple d'une population où les fréquences des gènes R et r du système Rhésus sont toutes deux égales à 1/2. D'après la loi de Hardy-Weinberg, la fréquence des homozygotes (rr), c'est-à-dire des individus ayant le phénotype Rhésus « moins » sera de $(1/2)^2 = 1/4$; les fréquences des (RR) et (Rr), individus dont le phénotype est Rhésus « plus » seront respectivement de $(1/2)^2 = 1/4$ et $2(1/2)(1/2) = 1/2$, soit au total 3/4 : bien que les deux gènes aient des fréquences égales, les individus de type « plus » sont trois fois plus nombreux que ceux de type « moins » : une fois de plus nous constatons un décalage entre les observations réalisées dans l'univers des phénotypes et celles réalisées dans l'univers des génotypes.

Familles « tarées » et familles « saines »

La loi de Hardy-Weinberg n'est pas seulement valable pour les systèmes sanguins ; elle l'est tout autant pour les maladies dont on a pu définir le mécanisme génétique, notamment les nombreuses « erreurs innées du métabolisme ». La plus fréquente d'entre elles, en Europe et en Amérique du Nord, est la « mucoviscidose » qui frappe en moyenne un enfant sur 2 500 (ce taux atteint même un enfant sur 400 dans certaines régions) [10 et 24]. Cette maladie se manifeste par des syndromes divers ayant en commun une concentration anormale de chlorure de sodium dans la sueur ; elle est très invalidante et l'on n'a encore mis au point que des traitements fort insuffisants ; le pronostic est, comme disent les médecins « réservé ». L'étude de sa transmission dans les familles a montré qu'elle est due à la présence en double dose, c'est-à-dire à l'état homozygote, d'un certain gène que nous désignerons par m ; les individus qui n'ont reçu qu'un exemplaire de ce gène, les hétérozygotes (Nm), où N désigne le gène normal, sont parfaitement indemnes ; il est même impossible de déceler chez eux la présence du gène délétère, totalement camouflé par la présence du gène normal. La proportion d'enfants atteints, 1/2 500, représente la fréquence des homozygotes (mm) ; appliquant la loi de Hardy-Weinberg, nous en concluons que la fréquence du gène m est égale à la racine carrée de cette proportion, soit 1/50, ou 2 % ; la fréquence du gène N, normal, est donc de 98 %.

Faisons encore un effort qui nous permettra d'aboutir à un résultat fort troublant, allant à l'encontre de bien des idées reçues : la fréquence des hétérozygotes (mN), porteurs indemnes du « mauvais » gène, peut être, elle aussi, calculée d'après la loi de Hardy-Weinberg ; nous obtenons $2 \times \frac{2}{100} \times \frac{98}{100} = 3{,}9$ % : ainsi près de 4 % des enfants, c'est-à-dire 1 sur 25, sont des « porteurs » ; ceux-ci sont par conséquent cent fois plus nombreux que les enfants atteints.

Les réactions habituelles à propos des familles réputées « tarées » doivent donc être profondément révisées : dans un pays comme la France, dont la population dépasse 50 millions d'habitants, 2 millions d'individus sont porteurs du gène m alors que le nombre des malades, si ceux-ci survivaient, serait inférieur à 20 000. Dans leur très grande majorité (en fait, 98 %), les gènes de cette « tare » font partie du patrimoine de familles réputées saines, car le hasard leur a épargné la naissance d'un homozygote.

Même si aucun cas de mucoviscidose n'a été décelé dans sa parenté, chacun de nous a une chance sur 25 d'être porteur d'un gène m ; malgré les apparences, ce risque très élevé est parfaitement compatible avec la faible fréquence des naissances d'enfants atteints ; en effet, la probabilité que je sois porteur est de 1/25, la probabilité pour que l'un de mes spermatozoïdes soit doté d'un gène m est donc de 1/50, puisque seulement la moitié d'entre eux le reçoivent, les autres recevant le gène normal N ; il en est de même pour la partenaire avec qui je procrée ; la probabilité pour que l'enfant résulte d'un ovule et d'un spermatozoïde dotés tous deux d'un gène m est donc bien $1/50 \times 1/50 = 1/2\,500$.

Le paradoxe est d'autant plus net que la maladie génétique étudiée est plus rare. Prenons l'exemple d'une affection que la médecine sait aujourd'hui guérir : la « phénylcétonurie ». Cette maladie est due à un gène classiquement désigné par la lettre p ; ce gène est « récessif » ; autrement dit, ne sont malades que les enfants l'ayant reçu en double dose, les homozygotes (pp). Ceux-ci souffrent d'une incapacité à réaliser l'une des innombrables réactions chimiques nécessaires au bon fonctionnement de l'organisme ; un produit, la « phénylalanine », qui devrait normalement être détruit (et qui est effectivement détruit lorsque le gène normal est présent), s'accumule dans le sang et dans le liquide céphalo-rachidien, provoquant une détérioration du cerveau, une idiotie progressive, et la mort. Ce processus est maintenant bien analysé ; un moyen efficace de lutter contre l'effet de cette « tare » a été mis au point : il consiste à ne fournir à l'enfant, par un régime approprié, que le minimum nécessaire en phénylalanine.

La fréquence des naissances d'enfants atteints est nettement plus faible que pour la mucoviscidose, environ un enfant sur 11 000 en France (c'est-à-dire une cinquantaine chaque année). La fréquence du gène p est donc égale à la racine carrée de 1/11 000, soit 1/105 ou 0,95 % ; l'application de la loi de Hardy-Weinberg nous montre alors que la fréquence des porteurs sains de ce gène, les hétérozygotes (Np), est de 1,9 %, soit un individu sur 52, deux cent dix fois plus que la fréquence des enfants atteints : le nombre de porteurs est en France de l'ordre de un million. Cette « tare » réputée assez rare, puisque quelques dizaines de cas nouveaux seulement sont signalés chaque année, est donc présente, en fait, dans un nombre très élevé de familles.

Le langage abstrait du mathématicien n'est pas qu'un jeu pour initiés, il permet de dégager une réalité que l'observation seule ne dévoile pas : nous retrouvons la dualité sur laquelle nous avons insisté au chapitre précédent ; nous ne pouvons observer directement que des phénotypes, alors que la réalité profonde, dont dépendent les générations futures, concerne les génotypes ; pour passer des uns aux autres un modèle théorique est nécessaire ; seul le recours au langage mathématique permet la manipulation aisée de ces modèles ; encore faut-il vérifier à chaque occasion que cet exercice ne nous a pas conduit à ne plus étudier qu'un monde imaginaire. Dans le cas de la loi de Hardy-Weinberg cette vérification est aisée ; elle l'est moins lorsqu'il s'agit de modèles plus complexes tenant mieux compte des paramètres nombreux qui caractérisent le monde réel ; ainsi, pour le modèle de la « dérive génétique », qui joue un grand rôle dans certaines tentatives actuelles d'explication de l'évolution.

Où nous retrouvons le hasard : dérive et effet de fondateur

Nous avons vu que le patrimoine génétique d'un enfant est le résultat de deux loteries : l'une consistant à choisir une moitié du patrimoine génétique de son père, l'autre une moitié du patrimoine de sa mère. Si nous nous intéressons non plus à une famille, mais à deux générations successives d'une population, nous constatons que le patrimoine génétique de la génération 2 est constitué de gènes obtenus par tirage au hasard dans le patrimoine de la génération 1.

Considérons les gènes gouvernant une certaine fonction élémentaire, par exemple un système sanguin ; chaque individu en possède deux ; supposons que l'effectif N des générations successives reste constant, les 2N gènes de la seconde génération sont des copies obtenues par tirage au sort parmi les 2N gènes de la génération 1. Si la fréquence d'un certain gène a était p_1, elle peut fort bien, par suite de ce jeu aléatoire, avoir une valeur différente, p_2, dans la génération suivante. Un raisonnement probabiliste simple, et conforme à l'intuition la plus naturelle, montre que l'écart entre p_1 et p_2, c'est-à-dire la variation de fréquence entre deux générations successives, risque d'autant plus d'être important que l'effectif N est plus petit. La célèbre « loi des grands nombres » permet d'affirmer que si, au contraire, N est très grand, cet écart est proche de zéro.

Imaginons par exemple deux couples sur une île déserte, et admettons que les deux hommes soient homozygotes (RR) pour le système sanguin Rhésus, et les deux femmes hétérozygotes (Rr) ; la fréquence du gène R est donc $p = 3/4$. Chaque couple procrée deux enfants ; cinq cas sont possibles :

– les 4 enfants sont (RR), d'où p = 1
– 3 enfants sont (RR), 1 est (Rr), d'où p = 7/8
– 2 enfants sont (RR), 2 sont (Rr), d'où p = 3/4
– 1 enfant est (RR), 3 sont (Rr), d'où p = 5/8
– tous les enfants sont (Rr) d'où p = 1/2

et l'on peut montrer facilement que les probabilités de ces cinq éventualités sont respectivement de 1/16, 4/16, 6/16, 4/16 et 1/16. La fréquence du gène R ne reste constante que dans 6 cas sur 16 ; dans 1 cas sur 16 elle atteint 1, le gène r est éliminé, et cette élimination est définitive, du moins tant que l'isolement se maintient.

La même dispersion se reproduira à la génération suivante, les compositions possibles pour la troisième génération devant être étudiées pour chacun des cinq cas ci-dessus. Le processus ne s'arrête que lorsque p = 1, le gène R est fixé, ou lorsque p = 0, le gène R est éliminé.

Si, au lieu de deux couples, nous avions envisagé une population de 50 couples, tous les hommes étant (RR) et toutes les femmes (Rr), le nombre de cas possibles pour la génération des enfants aurait été de 101, la fréquence p pouvant prendre les valeurs 1, 199/200, 198/200, ..., 1/2. Mais cette fois les valeurs extrêmes 1 et 1/2 n'auraient eu qu'une probabilité infime : $(1/2)^{100}$ soit une chance sur 10^{30}, ce qui correspond pratiquement à l'impossibilité ; au contraire, les valeurs proches de la fréquence initiale 3/4 auraient eu une plus grande probabilité : dans 9 cas sur 10 la fréquence du gène R chez les enfants aurait été comprise entre 0,80 et 0,70.

Une telle modification progressive de la structure génique entraînée par la seule intervention du hasard, sans cause explicite, est désignée par le terme « dérive » de la population.

A chaque génération le phénomène se reproduit, sans qu'aucune influence ne fasse revenir la fréquence vers sa valeur initiale ou la fasse tendre vers une valeur limite quelconque ; cette dérive erratique ne peut avoir à la longue que deux aboutissements : ou la fréquence devient nulle, le gène a alors disparu, ou elle atteint 1, tous les autres gènes gouvernant la même fonction ont disparu, la population est devenue homogène.

Progressivement la composition du pool génétique se transforme au hasard, la population évolue ; mais ce processus est d'une extrême lenteur ; on peut montrer que la réalisation d'un changement assez important pour être décelé nécessite le passage d'autant de générations que la population comporte d'individus ; dans un groupe de 100 personnes, la dérive ne fera vraiment sentir ses effets qu'après quelques millénaires. Encore faut-il que ce groupe soit resté totalement isolé, que des migrations, des apports génétiques venus de l'extérieur, n'aient pas perturbé le processus. C'est en partie de ces considérations que vient l'intérêt pour les « isolats », groupes humains de faible effectif ayant vécu durant une longue période dans une situation d'isolement génétique presque parfait, pour des motifs plus souvent liés d'ailleurs à la culture qu'à la géographie.

Bien sûr, l'effectif d'un groupe ne reste jamais constant, ses variations peuvent même être fort importantes ; en pratique, le phénomène de dérive n'intervient qu'au cours des périodes où cet effectif se trouve réduit, à la suite d'une catastrophe quelconque, d'une épidémie ou de la scission de la population en plusieurs groupes désormais distincts.

Ce dernier cas se présente fréquemment dans l'histoire des populations humaines ; les chercheurs américains utilisent l'expression *founder effect* pour désigner la conséquence de cet essaimage humain sur le patrimoine génétique. La plupart des nouveaux groupes humains ont été ainsi fondés par un petit nombre d'individus, séparés de leur souche, soit pour trouver ailleurs de meilleures conditions d'existence, soit par révolte. Les gènes qu'ils emportent avec eux, source du patrimoine biologique de la nouvelle population, ne sont qu'un échantillon des gènes du groupe initial, échantillon d'autant moins représentatif que ces fondateurs sont moins nombreux.

Nous avons ainsi pu comparer [17] deux groupes touareg du Sud Sahara, les Kel Dinnick, descendants des tribus nobles Tademaket, qui ont régné sur toute la région de l'Adrar des Ifoghas jusqu'au XVIIe siècle et les Kel Kummer dont les ancêtres, qui appartenaient à ces tribus, ont fait sécession à cette époque et ont peu à peu imposé leur suprématie. Les quelques guerriers qui se sont révoltés et ont fondé le nouveau groupe Kel Kummer n'ont emporté qu'un échantillon réduit du patrimoine génétique de leurs ancêtres. Grâce à une reconstitution minutieuse des généalogies, l'ethnologue André Chaventré a pu montrer que 40 % des gènes actuellement possédés par les Kel Kummer proviennent de 5 fondateurs seulement, 80 % de 15 fondateurs [16]. Des prises de sang ont permis de préciser pour de nombreux systèmes la structure génique des Kel Dinnick et de leurs parents Kel Kummer : dans certains cas les différences sont considérables. Ainsi pour le système immunologique « HL-A », les gènes qui sont majoritaires chez les uns sont absents ou ont de faibles fréquences chez les autres et réciproquement. Seul le hasard est responsable de ces écarts dont il serait vain de rechercher les causes.

Un élément essentiel des transformations des populations : les migrations

Tous nos raisonnements sur la dérive génétique reposaient sur une hypothèse fondamentale : l'isolement complet du groupe durant toute la période couverte par les générations étudiées. Lorsque cet isolement est absolu, l'effet à long terme de la dérive est d'homogénéiser la population : pour chaque fonction élémentaire un seul gène subsiste, tous les individus sont alors homozygotes, ils sont tous génétiquement identiques, comme le sont de « vrais » jumeaux.

Un tel aboutissement n'est guère rencontré que dans des expériences de laboratoires conduites sur certaines espèces justement en vue de disposer de lots d'animaux homogènes ; ainsi les élevages de souris, où des souches homozygotes sont obtenues au moyen de croisements frère-sœur répétés durant de nombreuses générations.

Dans les populations humaines des événements risquent fort de se produire et de rompre l'isolement génétique, au cours de la longue durée nécessaire pour que la dérive accroisse de façon significative l'homogénéité du groupe. Or il suffit d'un très faible courant d'immigration pour que les effets de cette dérive soient annihilés.

Prenons comme exemple imaginaire une population composée à chaque génération de 50 individus procréateurs ; on peut montrer que pour rendre homogène la moitié des caractères élémentaires qui présentaient initialement une certaine diversité, 70 générations sont nécessaires, soit une durée supérieure à mille cinq cents années. Il est peu probable que l'isolement puisse rester absolu au cours de ces quinze siècles ; si nous admettons qu'à chaque génération un seul immigrant entre dans la population, la proportion de caractères devenus homogènes ne sera plus de 50 % mais de 10 %. Chaque immigrant apporte des gènes « frais » qui se répandent dans le groupe et remplacent ceux que la dérive avait éliminés. Si un courant même infime se maintient, l'érosion génétique ne peut donc plus aboutir au nivellement général.

Cet effet génétique de l'immigration, beaucoup plus important que ne le laisse supposer le faible nombre des individus entrés dans le groupe, est encore accentué par le fait que bien souvent les migrants ont un nombre d'enfants plus élevé que la moyenne. Que ce soit pour des raisons biologiques (les migrants sont le résultat d'une certaine sélection au sein de leur population d'origine) ou psychiques (ils cherchent à reconstituer autour d'eux un monde familier), cette fécondité supérieure est très souvent observée. Un cas extrême est représenté par une petite tribu d'Indiens jicaques du Honduras étudiée par l'ethnologue Anne Chapman [15]. Les généalogies qu'elle a pu reconstituer décrivent de façon précise l'histoire génétique du groupe depuis sa fondation par 7 personnes (4 hommes et 3 femmes) il y a un siècle ; on constate que les immigrants ont été fort peu nombreux, environ 5 % des effectifs de mariés à chaque génération ; pourtant le patrimoine génétique des enfants nés au cours des années récentes est composé pour 29 % de gènes provenant de ces immigrés, et pour 71 % seulement de gènes provenant des « fondateurs » historiques. Leur fécondité plus élevée a donné aux immigrants un rôle génétique bien supérieur à celui correspondant à leur effectif.

Une importante sous-évaluation par les membres du groupe de l'intensité du flux de gènes venant de l'extérieur est souvent observée : tel est le cas pour une communauté protestante de Normandie, isolée depuis la Réforme dans une région à prédominance catholique. Jusqu'au récent concile de Vatican II, les mariages mixtes étaient extrêmement rares tant était vive la réprobation générale qu'ils entraînaient. L'étroitesse du marché matrimonial chez les protestants a rendu inévitables certains mariages entre apparentés. Le sentiment d'une forte consanguinité est très répandu dans ce groupe, d'autant que de nombreuses familles ont le même patronyme. Grâce aux recherches de Martine Segalen [79], le réseau généalogie complet de la communauté a pu être reconstitué. Elle a constaté que plus de la moitié des 217 personnes présentes en 1950 descendaient d'un même couple de « fondateurs », un tiers d'un autre fondateur, ce qui peut sembler justifier le sentiment d'un grand isolement, d'une forte consanguinité, et donc d'un appauvrissement génétique. En fait, à chaque génération quelques conjoints sont venus de l'extérieur ; on a pu calculer qu'en permanence la proportion de gènes « neufs », entrés dans le patrimoine collectif depuis moins de vingt-cinq ans, dépassait 20 %. Loin de constituer, comme il le croyait lui-même, un ensemble fermé risquant de peu à peu s'appauvrir, ce groupe a bénéficié d'un apport permanent de gènes extérieurs qui ont transformé, sans qu'il le ressente, sa réalité biologique.

Dans la loterie mendélienne les chances ne sont pas égales : la sélection naturelle

Nous avons montré que la réalisation de la génération des enfants à partir de la génération des parents peut être vue comme une série de loteries : chaque enfant, pour chaque caractère élémentaire, reçoit deux gènes tirés au hasard dans le « fonds » génétique de l'ensemble des parents. Mais ce tirage au hasard ne donne pas nécessairement des chances égales à tous les gènes parentaux : si un gène entraîne une diminution de fertilité ou une moindre résistance aux maladies, l'individu qui le porte participera moins souvent que d'autres aux diverses loteries, son patrimoine biologique sera moins représenté dans la génération suivante. La liaison entre la dotation génétique et la capacité à survivre et à procréer est à la source du phénomène de la *sélection naturelle.*

Ce mot « sélection », si souvent employé, risque de créer une confusion ; il est nécessaire de bien préciser le sens dans lequel nous l'employons. Initialement, il désigne l'action délibérée des éleveurs pour modifier certaines caractéristiques des espèces végétales ou animales. L'observation a montré que certains croisements avaient des conséquences bien définies sur la progéniture ; une technique systématique a pu être mise au point, permettant de faire évoluer une lignée dans le sens désiré ; il suffit de sélectionner habilement les individus utilisés comme reproducteurs ; il s'agit là d'un artifice par rapport à l'ordre naturel des choses ; par définition la sélection est artificielle. Au contraire, lorsque nous évoquons les effets de la sélection liée aux divers gènes, nous nous référons à l'expression « sélection naturelle » telle qu'elle a été introduite par Darwin. En l'adoptant il voulait insister sur le fait que la transformation spontanée des espèces est un mécanisme qui utilise le même matériau que la sélection pratiquée par les éleveurs : la diversité du caractère étudié selon les individus. Mais, dans le processus naturel que nous étudions maintenant, cette diversité n'est plus à l'origine d'une action extérieure ; elle induit, par elle-même, une différence dans le pouvoir de reproduction des individus, elle entraîne donc d'une génération à l'autre une modification des fréquences des divers gènes, elle provoque une évolution naturelle du patrimoine biologique.

Reprenons notre exemple d'une population où la fréquence du gène R du système Rhésus est p = 3/4. Lorsque les proportions de la loi de Hardy-Weinberg sont respectées, 1/16 des individus ont le génotype homozygote (rr) et manifestent le caractère « moins ». On sait que lorsqu'une femme a le caractère Rhésus « moins » et porte un enfant Rhésus « plus », la présence de cet enfant induit chez elle la synthèse d'anticorps qui peuvent, lors d'une grossesse ultérieure, agglutiner les globules rouges d'un fœtus Rhésus « plus » et provoquer lors de l'accouchement la maladie hémolytique du nouveau-né dont l'issue, dans les conditions d'autrefois, pouvait être fatale. Ce risque, dans notre exemple, concerne les 3/4 des grossesses des femmes « moins », c'est-à-dire de génotype (rr) ; ces femmes ont donc dans l'ensemble moins d'enfants que la moyenne, ce qui entraîne une diminution de la fréquence du gène r. Dans une population où le risque de mortalité, dans le cas d'incompatibilité mère-enfant, serait de 20 %, on peut calculer que cette diminution de fréquence serait de 0,2 % par génération. Malgré l'importance du risque, la transformation de la structure génique est donc très lente : il faudrait, avec cette hypothèse, plus de six siècles pour ramener la fréquence du gène r de 25 % à 20 %.

Dans le cas d'une « tare » recessive comme la mucoviscidose ou la phénylcétonurie, la mort des enfants atteints n'entraîne également qu'une réduction très lente de la fréquence du gène responsable. Admettons que, dans les conditions d'autrefois, tous les individus atteints de phénylcétonurie, les homozygotes (pp), mouraient avant l'âge procréateur, et que le fait d'être « porteur », c'est-à-dire hétérozygote (Np), n'influençait en rien le pouvoir reproducteur. La fréquence du gène p estimée à 0,95 % actuellement n'était ramenée à 0,90 %, une amélioration bien faible, qu'après 6 générations, soit un siècle et demi, et à 0,50 % après 95 générations, soit plus de vingt siècles.

Il peut sembler paradoxal qu'un gène qui entraîne la mort ne disparaisse qu'avec une telle lenteur. En fait, nous retrouvons ici une conséquence de la répartition de Hardy-Weinberg : les gènes p qui se manifestent chez les homozygotes sont éliminés, mais ils ne représentent qu'une infime minorité ; sur l'ensemble de la population française, par exemple, la sélection naturelle ne peut agir que sur une dizaine de milliers de gènes p, alors que près d'un million d'entre eux lui échappent, à l'abri du camouflage efficace que leur procure le gène normal avec lequel ils sont associés chez les hétérozygotes.

Sans entrer dans des détails techniques trop complexes, insistons pour terminer sur un aspect souvent méconnu de la sélection naturelle : celle-ci agit sur des individus et non sur des gènes. Son mécanisme opère dans ce que nous avons appelé l' « univers des phénotypes ». C'est en fonction des diverses caractéristiques de son phénotype qu'un individu sera capable de résister aux diverses agressions du milieu, de survivre, de procréer. Sa réussite globale ou son échec global aura des conséquences pour tous les gènes dont il est porteur ; parmi ceux-ci certains seront favorables, d'autres délétères ; leur sort dans le passage d'une génération à l'autre sera fonction moins de leurs caractéristiques propres que des caractéristiques globales des individus qui les portent. Tel gène apportant une sensible amélioration peut disparaître s'il se trouve associé à un gène mortel, tel autre qui diminue la résistance aux maladies se trouvera multiplié s'il se trouve associé à des gènes favorisant une plus grande fécondité. Pour raisonner simplement, force est de considérer chaque caractère isolément ; mais il ne faut pas perdre de vue qu'il ne s'agit là que d'un modèle simpliste, bien éloigné de la complexité du réel. Nous reviendrons sur cette difficulté lorsque nous évoquerons les diverses théories s'efforçant d'expliquer l'évolution des espèces : théories darwiniennes, néo-darwiniennes, ou non darwiennes.

Vers la transformation orientée du patrimoine génétique

Le patrimoine génétique collectif constitue la richesse biologique d'un groupe, son bien essentiel, le seul véritablement durable. Ce bien, transmis de génération en génération, se transforme spontanément sous l'effet du hasard introduit par les multiples loteries mendéliennes (la « dérive »), des migrations, des mutations, et des écarts entre les capacités de reproduction des individus (la « sélection »). Ne pouvons-nous espérer le transformer volontairement, maintenant que nous commençons à mieux le connaître ?

L'objet de l' « eugénique » est de définir des comportements ou des techniques permettant d'agir au mieux pour que ces transformations volontaires soient bénéfiques. Cet objet même situe la réflexion nécessaire dans l' « univers des génotypes » : il soumet tous les raisonnements aux concepts et aux résultats de la « génétique des populations ». Il est remarquable que ces deux domaines de recherche « eugénique » d'une part, « génétique des populations » de l'autre se soient en fait développés sans que la première prenne conscience des apports de la seconde. La plupart des affirmations eugénistes sont en parfaite contradiction avec les données élémentaires fournies par la « génétique des populations ». Pour s'en rendre compte, il suffit de constater les contresens commis non à propos de l'amélioration de l'espèce, notion difficile, mais sur un sujet plus aisément cernable, les dangers de sa détérioration. Le prochain chapitre est consacré aux principales craintes formulées à ce propos.

3. L'avenir de notre patrimoine génétique : les dangers et les craintes

L'Homme vit dans un monde qu'il a façonné. Sans s'en rendre compte, il a transformé, entre autres, les conditions dans lesquelles les gènes sont transmis d'une génération à la suivante. En poursuivant certains buts, que ce soit la guérison des enfants malades, la fourniture d'énergie ou la stabilité sociale, il peut rompre des équilibres naturels et déclencher un processus qui, à long terme, aboutira à une catastrophe. Des craintes concernant la détérioration génétique sont souvent formulées ; essayons de préciser, en utilisant l'éclairage qu'apporte la génétique des populations, quels sont les dangers réels concernant l'« effet dysgénique » de la médecine, la consanguinité des couples, le rôle mutagène des radiations ou de certains produits chimiques.

1. Une crainte vaine : l'effet « dysgénique » de la médecine

Que de fois le reproche est fait aux médecins : « En soignant cet enfant porteur d'une tare génétique, en le guérissant, vous lui permettez de mener une vie normale ; votre succès est total si vous lui permettez d'avoir des enfants. Mais ce succès même entraîne un terrible danger : les gènes défavorables que cet enfant a reçus de ses parents vont alors être transmis au lieu d'être éliminés comme le voulait la nature. Peu à peu, le patrimoine génétique collectif va se trouver encombré de ces gènes nuisibles ; par votre action, sans doute bénéfique dans l'immédiat, vous préparez une catastrophe à long terme. »

Le raisonnement paraît si clair que nombre de médecins le reprennent à leur compte et expriment leurs doutes sur les conséquences lointaines de leur action. L'exemple le plus souvent cité pour montrer cet effet boomerang de certains progrès médicaux est celui du diabète : depuis un demi-siècle le traitement par insuline permet aux diabétiques de mener une vie normale, en particulier d'avoir des enfants ; on observe simultanément un accroissement de la fréquence de cette maladie : dans les pays de niveau médical élevé, près de 4 % des personnes âgées en sont atteintes et doivent, pour survivre, se soumettre au traitement.

De même, depuis une vingtaine d'années, des traitements efficaces ont été mis au point pour maintenir en vie les enfants hémophiles et leur permettre d'atteindre l'âge de la reproduction. Dans des pays comme le Danemark, où des statistiques médicales précises sont disponibles, la fréquence de cette maladie était restée, depuis longtemps, remarquablement stable. Il semble que cette proportion soit, pour la première fois, en augmentation depuis quelques années.

Devant ces raisonnements et devant ces faits, on évoque en termes savants l' « effet dysgénique » du progrès médical, ou, en termes plus journalistiques, le « naufrage génétique » de l'espèce humaine. Quelles précisions apporte la « génétique des populations » ?

Lenteur des modifications génétiques

La caractéristique la plus importante des modifications du patrimoine génétique, qui semble échapper aux prophètes de malheur, est son extrême lenteur : une détérioration génétique quelconque survenant chez un individu ne peut se manifester avant qu'il ne procrée un enfant ; l'unité de temps en ce domaine n'est pas l'année, mais la génération, c'est-à-dire un quart de siècle environ. C'est en nombre de générations qu'il faut estimer la durée nécessaire pour que se manifeste un tel changement.

Prenons l'exemple d'une maladie génétique très grave que, justement, les progrès médicaux ont permis de guérir : la phénylcétonurie. Nous avons vu que cette « tare », qui frappe en France environ un enfant sur 11 000, est due à un gène récessif p. Depuis quelque vingt ans, moins d'une génération, les effets de ce gène p chez les individus dotés d'un génotype homozygote (pp) sont supprimés. Grâce à la mise au point d'un régime adapté, ils échappent à leur sort naturel qui était de subir une dégénérescence cérébrale progressive, et de mourir avant d'avoir atteint l'âge procréateur. Ils peuvent désormais mener une vie normale, notamment avoir des enfants. Bien sûr, ils transmettent un gène p à chacun de ceux-ci ; mais étant donné la rareté de ce gène dans la population, leur partenaire transmet le plus souvent un gène normal N, et les enfants sont indemnes. La probabilité d'avoir un enfant atteint est exactement de 0,95 %. Le risque pour ces familles est donc très faible, mais ne doit-on pas craindre un envahissement progressif du patrimoine génétique collectif par ce gène p ? Un équilibre naturel a été rompu, n'a-t-on pas déclenché une catastrophe à long terme ?

Pour répondre à cette interrogation, il faut utiliser les raisonnements sur les équilibres génétiques globaux esquissés au chapitre précédent.

A la fréquence 1/11 000 des homozygotes (pp) correspond la fréquence 1/105 du gène p. Le fait que ce gène n'ait pas disparu depuis longtemps, malgré la mort des enfants qui le portaient en double exemplaire, suggère que des mutations apportent à chaque génération de nouveaux gènes p, ou, autre hypothèse plus vraisemblable, que les hétérozygotes bénéficient, ou ont bénéficié autrefois, d'un certain avantage. Quelle que soit l'hypothèse retenue, du fait de la guérison des enfants atteints, l'équilibre est rompu et la fréquence du gène p croîtra progressivement ; un raisonnement présenté en annexe montre comment l'on peut calculer le nombre de générations nécessaires pour que cette fréquence ait doublé : ce nombre est un peu supérieur à 50. Le doublement de la fréquence du gène (entraînant un quadruplement de la fréquence des enfants atteints) ne se produira donc que dans mille cinq cents ans environ : à cause des progrès médicaux un enfant sur 2 800, au lieu de un sur 11 000 actuellement, nécessitera des soins ; mais cette fréquence, encore bien faible à vrai dire, ne sera atteinte qu'aux environs de l'an 3500 : est-il bien raisonnable d'évoquer ce danger, alors que d'ici-là l'Humanité devra affronter des problèmes autrement plus graves, risquant de mettre son existence même en question ?

Certes cette lenteur est due en partie au fait que nous avons pris comme exemple une maladie relativement rare ; plus une affection génétique est fréquente, plus rapide sera l'effet de son éventuelle guérison sur la structure génétique de la population ; mais dans tous les cas le rythme de la transformation reste cependant très lent. Pour le montrer, étudions le cas de la maladie génétique qui, nous l'avons vu, est la plus répandue en Europe, la mucoviscidose ; on peut calculer qu'une guérison totale, bien loin, hélas, d'être obtenue actuellement, entraînerait un doublement de la fréquence du gène m responsable en environ sept cents ans ; aux environs de l'an 2700 le nombre de naissances d'enfants atteints serait de l'ordre de 1/600 au lieu de 1/2 500 actuellement. Décidément, le danger évoqué n'est guère immédiat.

Le processus est plus rapide pour des maladies, telles que l'hémophilie, dont le déterminisme génétique, différent de ceux que nous avons évoqués jusqu'à présent, est gouverné par les gènes « liés au sexe ». Il s'agit de gènes situés sur le chromosome X qui a la particularité de n'exister qu'en un exemplaire chez les individus de sexe masculin ; la paire XX existe bien chez les femmes, mais les hommes sont dotés d'une paire dissymétrique, un X et un petit chromosome, dit Y, responsable de leur masculinité. Le gène de l'hémophilie, désignons-le par h, est récessif (comme le gène r du système Rhésus) et situé sur le chromosome X. Sa fréquence en Europe est de l'ordre de 1/10 000. Pour être hémophile, une femme doit être homozygote (hh), événement fort rare puisque sa fréquence, d'après la loi de Hardy-Weinberg, est de $(1/10\,000)^2$, soit un sur 100 millions ; mais il suffit qu'un homme possède ce gène h sur son unique chromosome X pour que l'affection se manifeste ; la fréquence des naissances de garçons hémophiles est donc de 1/10 000.

Un calcul simple (voir annexe) montre que la guérison de tous les malades entraînerait un accroissement de fréquence du gène égal à 1/30 000 à chaque génération : dans un siècle la fréquence de la maladie serait doublée ; mais elle ne toucherait encore qu'un garçon sur 5 000 et il faudrait attendre mille ans pour que cette incidence dépasse un garçon sur 1 000. Les conséquences du progrès médical se manifestent donc, dans ce cas, à échéance plus proche, mais restent limitées ; il est difficile de soutenir l'existence d'un problème immédiat.

Cette attitude pourra paraître désinvolte, condamnable : même si le naufrage génétique annoncé ne doit se produire que dans quelques milliers d'années, son risque peut sembler bien réel ; nous sommes responsables du destin à long terme de notre espèce ; nous n'avons pas le droit de laisser s'accumuler les problèmes, même s'ils ne concernent que des générations lointaines.

Il convient donc d'évaluer ce risque, indépendamment de l'éloignement des échéances ; il est nécessaire pour cela de mieux préciser en quoi il consiste : nous allons voir que les choses sont moins simples qu'il n'y paraît.

Signification des changements génétiques

Lorsque la fréquence d'un gène est doublée, la fréquence des individus homozygotes pour ce gène est quadruplée, puisque celle-ci est égale au carré de celle-là ; simultanément, la fréquence des hétérozygotes, porteurs du gène en un seul exemplaire, est multipliée par deux.

Or, nous l'avons vu, une des hypothèses avancées pour expliquer le maintien d'un gène détériorant est qu'il apporte un certain avantage à ces hétérozygotes. Il ne s'agit pas là d'une simple hypothèse d'école sans lien avec la réalité ; dans l'espèce humaine elle a été vérifiée dans au moins un cas, celui, bien connu, de l'*anémie falciforme*, maladie ainsi dénommée car elle est caractérisée par la forme « en faucille » des globules rouges du sang. Cette maladie est très répandue dans les régions d'Afrique où sévit le paludisme ; on a constaté qu'elle était due à un certain gène, désignons-le par S, responsable de la malformation des globules rouges. Les enfants dotés de deux gènes S, les homozygotes (SS), meurent presque tous d'anémie ; mais les individus hétérozygotes qui n'ont reçu un gène S que d'un parent, l'autre ayant fourni un gène normal, jouissent d'une certaine protection contre le paludisme (sans doute parce que la malformation d'une fraction de leurs hématies empêche la poursuite normale du cycle de développement du parasite responsable du paludisme, le Plasmodium Falciparum). Dans ce cas au moins, l'avantage lié à l'état hétérozygote est une réalité concrète.

Il semble bien que ce mécanisme ait pu jouer, ou joue encore, pour la mucoviscidose. La fréquence de cette maladie est trop élevée pour que les mutations aient pu compenser la perte de gènes m entraînée par la mort des enfants homozygotes (mm). Certes, de telles mutations se produisent parfois, mais leur fréquence est toujours extrêmement faible, très insuffisante pour expliquer le maintien de la fréquence de m au niveau de 2 % que nous constatons.

Très probablement cette fréquence résulte d'un avantage des hétérozygotes (sous la forme par exemple d'une meilleure résistance à certaines maladies) ; même un avantage très faible, si faible que sa mise en évidence directe serait impossible, suffirait à expliquer cette fréquence ; cette hypothèse ne peut donc être pour l'instant ni prouvée ni réfutée.

Dans tous les cas où un tel avantage des hétérozygotes existe, l'effet détériorant pour la population d'un accroissement de fréquence des homozygotes malades trouve une compensation immédiate.

Reprenons l'exemple d'un progrès médical permettant, dès demain, de guérir les enfants atteints de mucoviscidose : ces enfants auraient, s'ils survivaient, un effectif d'environ 20 000 pour l'ensemble de la France. Nous avons vu que, du fait même de ce progrès, dans sept siècles la fréquence du gène m aurait doublé, celle des homozygotes quadruplé : les soins nécessaires à leur survie devraient donc être fournis à 80 000 personnes (en admettant une population constante). Mais simultanément le nombre des hétérozygotes aurait doublé, le nombre de ces individus « avantagés » serait passé de 2 millions à 4 millions. Comment dire si le bilan global serait déficitaire ou au contraire bénéficiaire ?

Remarquons surtout que le progrès médical envisagé supprimerait le caractère de « tare » de la mucoviscidose ; il ne s'agirait plus que d'une affection, nécessitant certains soins, mais, par hypothèse, guérissable. Le passage de 20 000 à 80 000 du nombre de personnes atteintes ne constituerait nullement un fardeau génétique, mais un fardeau économique. N'aurait-il pas un poids bien dérisoire face à d'autres fardeaux économiques entraînés par certaines imperfections de nos sociétés ?

Ce processus n'est pas différent de celui qui se déroule depuis l'aube de l'Humanité, depuis que, devenus Homo Sapiens, nous avons réagi contre les agressions du milieu extérieur en inventant des comportements adaptés, et non en attendant passivement une modification génétique. L'invention du feu, l'emploi des peaux de bête ont certainement empêché l'élimination d'enfants que leurs dotations génétiques rendaient moins capables de lutter contre le froid. Le patrimoine génétique de l'Humanité s'en est, à la longue, trouvé transformé. Sans doute notre fragilité est-elle plus grande, mais il serait excessif de considérer cette fragilité comme une détérioration génétique. Il est dans la nature même de notre espèce de vivre artificiellement : dès que nous en avons eu le pouvoir, nous n'avons pas accepté de subir passivement la sélection imposée par le milieu ; nous avons donné aux agressions et aux contraintes venant du milieu extérieur une réponse culturelle, et non pas, comme les autres espèces, une réponse génétique ; le progrès médical n'est rien d'autre que la poursuite de cette réponse culturelle ; l'invention d'un antibiotique n'est pas plus « dysgénique » que l'invention du feu.

Interaction gène-milieu

Les gènes « mauvais » que nos progrès médicaux permettent de supporter et de conserver à long terme en neutralisant leur effet détériorant ont-ils toujours été néfastes ? Une des explications de leur présence dans notre patrimoine biologique est qu'autrefois, même à l'état homozygote, ils apportaient un certain avantage.

Tel semble bien être le cas pour certaines formes de diabète : cette maladie a en fait des manifestations assez variées (allant d'une absence presque totale de synthèse de l'insuline à un faible accroissement du taux de sucre dans le sang), mais surtout elle apparaît à des âges très variables ; son incidence, inférieure à 1 pour 1 000 chez les adolescents, peut dépasser 4 % chez les personnes âgées. Son déterminisme génétique est encore discuté ; il semble qu'il s'agisse de l'interaction de nombreux gènes qui déterminent non pas la maladie elle-même, mais la prédisposition de l'individu à la manifester ; celle-ci n'apparaît que si la nourriture dépasse un certain seuil de « richesse », le seuil étant lui-même défini par les gènes présents. Tel individu doté de gènes entraînant une forte prédisposition au diabète ne manifestera pas cette maladie si son régime reste suffisamment pauvre ; tel autre doté d'une bien moindre prédisposition en sera atteint si son régime est d'une richesse excessive.

La fréquence constatée dans un pays dépend donc moins de la structure génique de la population que de ses habitudes ou de ses possibilités alimentaires. L'accroissement constaté depuis un demi-siècle dans certains pays industriels ne serait alors nullement la conséquence des progrès médicaux permettant aux diabétiques de procréer (nous avons vu que les délais écoulés sont beaucoup trop courts pour qu'un tel effet ait pu se manifester), mais la conséquence des changements intervenus dans l'alimentation, de plus en plus abondante et riche ; il ne s'agirait donc pas de la modification du patrimoine génétique mais de la mise en évidence de certaines de ses propriétés, qui ne pouvaient auparavant être constatées.

Les combinaisons génétiques qui, à partir d'un certain seuil de nourriture, provoquent le diabète nous apparaissent, dans les conditions actuelles, comme défavorables ; mais il est fort possible que, dans des conditions de famine ou de nourriture insuffisante, ces mêmes combinaisons aient des effets bénéfiques ; il est fort possible qu'elles conditionnent certains métabolismes permettant une meilleure utilisation par l'organisme des substances disponibles. Ce renversement de l'action des gènes en cause a été notamment suggéré par le Pr Neel de l'université du Michigan à Ann Arbor [65]. En empêchant la disparition de ces gènes liés au diabète, le progrès médical n'a alors aucune action dysgénique ; tout au contraire, il préserve un capital génétique, aujourd'hui inutile ou mal adapté sans doute, mais qui pourra se révéler précieux lorsque nous serons moins gavés de nourriture.

Que conclure ?

Nous aurons à revenir à plusieurs reprises sur cette constatation fréquente en biologie ; la notion de bien et de mal correspond à un manichéisme beaucoup trop simpliste face à la complexité du vivant ; il est bien rare qu'une certaine configuration génétique corresponde à un mal absolu. Le plus souvent le jugement s'inverse selon les conditions du « milieu », ce milieu pouvant être aussi bien l'ensemble du patrimoine génétique lui-même que l'environnement : le gène S de l'anémie falciforme est un gène « mauvais » pour les homozygotes, il les tue ; ce même gène est « bon » pour les hétérozygotes, il les protège du paludisme ; certaines associations génétiques responsables du diabète sont « mauvaises » pour un individu trop bien nourri, elles sont peut-être « bonnes » pour le même individu s'il doit supporter une famine.

Comment, dans ces conditions, prétendre que l'action médicale conduit nécessairement à une dégénérescence ?

On peut s'interroger sur les raisons du retentissement qu'ont toutes les déclarations en ce sens, faites, parfois légèrement, par certains chercheurs qui n'ont pas pris la peine de pousser leur raisonnement assez loin. Ce retentissement, cette large audience résultent sans doute du goût si répandu pour tout ce qui est catastrophique, apocalyptique. Sans doute aussi, en attaquant la médecine au nom de la génétique, peut-on se donner facilement l'impression de dépasser les objectifs immédiats et de voir au loin. Mais surtout cette attitude est révélatrice de la tentation toujours présente d'une politique concertée d'« amélioration » de la race ou de l'espèce : la crainte d'un effet dysgénique de la médecine est l'aspect négatif de l'espoir en une « eugénique ».

2. Un danger imprécis : la consanguinité

La prohibition de certains mariages entre apparentés proches est de règle dans la plupart des cultures. Considérées comme incestueuses, certaines unions font l'objet de tabous le plus souvent très stricts. Il est courant de présenter cette attitude si générale comme le résultat d'un fait que toutes les sociétés auraient pu observer : les enfants issus de telles unions ont une moindre chance de survie, ils présentent plus souvent des « tares ». En les prohibant, les peuples lutteraient contre une forme de dégénérescence génétique, ils pratiqueraient un début d'« eugénique ». Est-ce vraiment là l'origine de ce comportement ?

Comment définir l'apparentement ?

Deux personnes sont génétiquement apparentées si parmi les ascendants de l'une figurent des ascendants de l'autre ou l'autre lui-même. Cette définition paraît claire, pourtant elle conduit immédiatement à un paradoxe : chacun d'entre nous a deux parents, quatre grands-parents... ; en poursuivant ce doublement jusqu'à nos ancêtres vivant sous Philippe le Bel, il y a quelque trente générations, on obtient un nombre voisin de 1 milliard, très supérieur à l'effectif total de toute l'Humanité à l'époque. L'erreur que nous avons commise dans ce calcul a été de multiplier par deux à chaque génération alors que, nécessairement, certains ancêtres pouvaient être joints par diverses voies, paternelles ou maternelles. Dans une population d'effectif limité, les liens parentaux peu à peu se multiplient, se ramifient ; après quelques générations chacun est apparenté à tous. Cette imbrication des généalogies est un autre aspect du phénomène de la « dérive » que nous avons décrit au chapitre II. Bien sûr, les mathématiciens se sont emparés de ce sujet et, à l'aide de raisonnements assez complexes, sont parvenus à préciser le rythme de ce processus, en fonction de l'effectif du groupe, des règles de mariages qui y sont observées et de la répartition des tailles des familles : ainsi Thierry Leviandier [53] a pu montrer que dans une population composée à chaque génération de 50 hommes et 50 femmes, se mariant au hasard, et respectant une moyenne de 2 enfants par personne, il suffirait de 11 générations pour que chaque individu ait 80 % des fondateurs parmi ses ancêtres ; avec un effectif de 500 hommes et 500 femmes le délai n'est que légèrement plus long : 15 générations.

Ce résultat théorique est confirmé par l'observation de certains « isolats » : dans la tribu touareg des Kel Kummer, dont André Chaventré a reconstitué les généalogies jusqu'au XVIIe siècle [16], on a constaté que deux individus quels qu'ils soient, appartenant à la population actuelle, ont, au moins, 15 ancêtres en commun ; le patrimoine génétique de ces 15 « fondateurs » se retrouve partiellement chez tous les membres actuels de la tribu, sans exception. Tous ceux-ci sont donc apparentés.

La notion d'apparentement ne peut retrouver un sens utile que si l'on précise le nombre des générations dans lesquelles on recherche les ancêtres communs : une convention est donc nécessaire si l'on veut comparer des populations différentes. Bien souvent, compte tenu des informations disponibles (notamment, dans certains pays d'Europe, les enregistrements des dispenses accordées par l'Église catholique romaine) on se borne à remonter 3 ou 4 générations, c'est-à-dire à retrouver les cousins issus de germains (du 3ᵉ degré) ou issus issus de germains (4ᵉ degré). Tel est le cas de travaux classiques de J. Sutter à ce sujet [83]. Mais il faut garder présent à l'esprit ce fait que l'apparentement n'est pas une caractéristique intrinsèque de deux personnes, il est seulement une caractéristique de l'information que nous avons pu recueillir sur leurs généalogies.

Comment mesurer l'apparentement ?

La seule conséquence biologique de l'apparentement de deux individus A et B est que leurs patrimoines génétiques ont une partie commune : certains gènes, qu'ils ont reçus de leurs ancêtres communs.

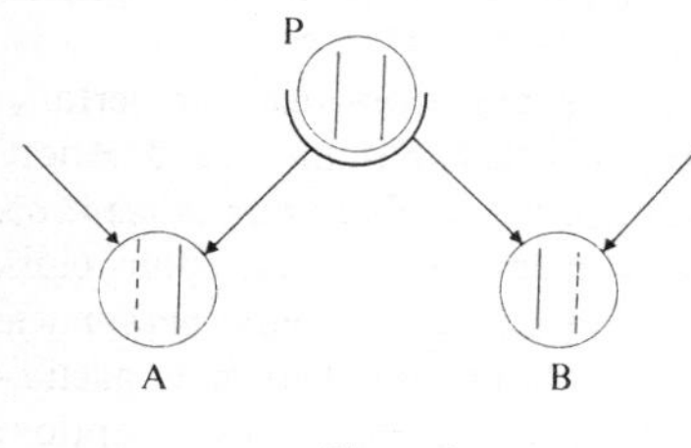

Figure 2

Le cas le plus simple est celui de deux demi-frères ayant, par exemple, un père commun et deux mères distinctes (figure 2). Lors de chaque conception, le père P a fourni la moitié de son stock de gènes à A, puis à B ; mais la moitié transmise à A n'est évidemment pas exactement la même que celle transmise à B puisque les spermatozoïdes impliqués ont été fabriqués au cours de deux « loteries » distinctes. Certains gènes de P choisis pour constituer le spermatozoïde qui a créé A ont été, par hasard, choisis également pour celui qui a créé B, d'autres non. Le rôle du hasard est donc fondamental ; la mesure de l'apparentement, pour être fidèle à la nature des choses, doit le prendre en compte. La meilleure définition d'une telle mesure a été proposée par G. Malécot [57], principal artisan de l'introduction du raisonnement probabiliste en génétique. Désignons au hasard un caractère génétique élémentaire ; pour ce caractère, A comme B possèdent une paire de gènes ; désignons au hasard un gène de chacune de ces paires ; la probabilité pour que les deux gènes ainsi spécifiés soient la copie d'un même gène d'un de leurs ancêtres communs est par définition leur « coefficient de parenté ».

Dans le cas de deux demi-frères, le calcul de cette probabilité est aisé ; un raisonnement simple [1] montre que les deux gènes choisis au hasard représentent une copie d'un même gène ancêtre avec une chance sur huit ; leur coefficient de parenté, qui mesure l'intensité de leur lien parental, est de 1/8.

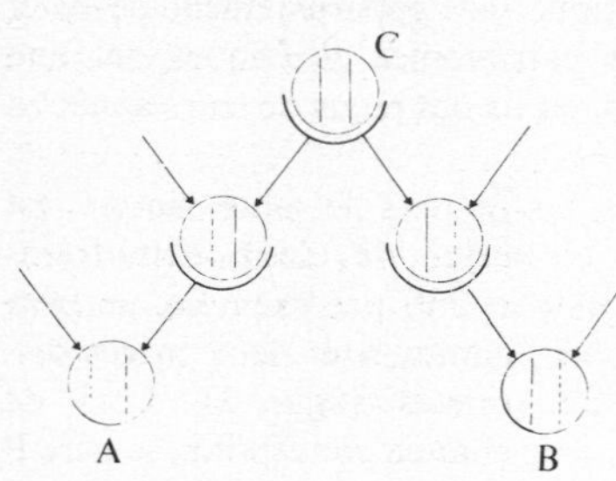

Figure 3

Lorsque deux gènes représentent ainsi deux copies d'un même gène ancêtre, les généticiens les qualifient d'« identiques ». La probabilité d'identité de deux gènes, possédés l'un par A, l'autre par B, sera d'autant plus faible que l'ancêtre commun C sera plus éloigné : pour deux personnes ayant uniquement un grand-

1. En effet, une fois sur deux le gène choisi chez A est celui qui lui a été fourni par P, de même pour B, et une fois sur deux, P a transmis le même gène à A et à B ; finalement, les deux gènes désignés sont identiques une fois sur huit.

parent commun (figure 3), on trouve un coefficient de parenté égal à 1/32, un unique arrière-grand-parent 1/128.

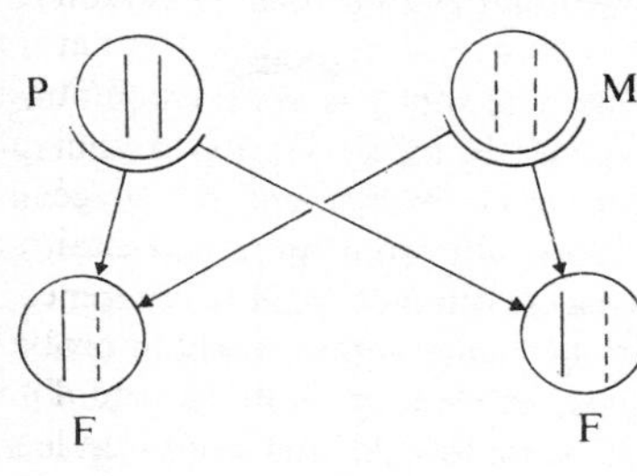

Figure 4

Si plusieurs ancêtres communs sont connus, il faut naturellement additionner les contributions de chacun : pour deux frères, ayant un père et une mère en commun, le coefficient de parenté est donc de 1/4, deux cousins germains, ayant deux grands-parents en commun, 1/16, deux cousins issus de germain 1/64...

Notons que le coefficient de parenté a la même valeur, 1/8, pour l'apparentement oncle-nièce, pour l'apparentement entre double cousins (cas où deux frères épousent deux sœurs) et pour l'apparentement entre demi-frère et demi-sœur. Pourtant dans ce dernier cas, le mariage est considéré dans notre société comme un inceste, alors que dans les deux autres cas les autorisations nécessaires sont aisément obtenues.

Dans les cas de parenté très complexes, le calcul de ces coefficients peut devenir extrêmement laborieux ; le recours à un ordinateur puissant s'impose, tant le nombre de cheminements possibles des gènes des divers « fondateurs » vers les individus étudiés peut être élevé (plusieurs centaines de milliers dans le cas des généalogies des Touaregs Kel Kummer) [64].

Mariages entre apparentés et maladies des enfants

Lorsque deux individus apparentés procréent, ils risquent de transmettre à leur enfant deux gènes qui se trouvent être la reproduction d'un même gène d'un de leurs ancêtres communs. Ces deux gènes « identiques » ont nécessairement la même nature (sauf si une mutation est intervenue, événement si rare que nous pouvons l'ignorer) ; l'enfant est alors homozygote pour le caractère correspondant.

Certes, même si le père et la mère ne sont pas apparentés, l'enfant peut fort bien être homozygote ; la loi de Hardy-Weinberg nous a montré que la probabilité de cet événement est égale au carré de la fréquence du gène. Lorsqu'ils sont apparentés, cette homozygotie peut résulter d'une cause qui n'est plus la rencontre, par hasard, de deux gènes ayant la même action, mais la transmission de deux gènes identiques, événement dont la probabilité est égale au « coefficient de parenté » tel que nous l'avons défini.

La seule conséquence biologique de l'apparentement des conjoints est cet accroissement chez les enfants de la proportion des caractères homozygotes. Nous avons vu que certaines maladies étaient dues à des gènes récessifs, c'est-à-dire ne manifestant leur effet néfaste qu'à l'état homozygote ; le risque d'apparition de ces maladies est donc plus élevé dans les familles consanguines. La mesure de l'apparentement que nous avons décrite va nous permettre d'évaluer précisément ce risque.

D'après nos calculs du chapitre II, la fréquence du gène m de la mucoviscidose est de l'ordre de 2 % ; pour un couple non apparenté le risque de donner naissance à un enfant atteint est le carré de cette fréquence, 4 pour 10 000 ou 1 pour 2 500. Mais pour un couple d'apparentés, par exemple de cousins germains, un risque supplémentaire se présente : le père et la mère peuvent en effet, avec une probabilité égale à leur « coefficient de parenté » (1/16 dans notre exemple), transmettre à leurs enfants deux gènes « identiques » ; le gène ancestral dont ces gènes sont issus était un gène m avec une probabilité égale à la fréquence de ce gène 2/100 ; l'enfant peut donc être (mm) avec une probabilité égale à $1/16 \times 2/100 = 12/10\,000$; au total, la probabilité pour des parents cousins germains de procréer un enfant atteint de mucoviscidose est de 16/10 000, soit quatre fois plus qu'en l'absence d'apparentement.

Il est facile de constater que cet accroissement du risque est d'autant plus important que la maladie considérée est plus rare. Ainsi en Europe, la fréquence des enfants albinos est de l'ordre de 1 sur 20 000. Cette affection est liée à un gène récessif, désignons-le par a : les homozygotes (aa) sont incapables de synthétiser les quantités suffisantes de mélanine, pigment nécessaire à la coloration aussi bien des cheveux que de la peau ou de l'iris de l'œil, ce qui leur donne une apparence « décolorée » caractéristique de leur état. La fréquence du gène a est, d'après la loi de Hardy-Weinberg, de 1 sur 140 ; le même raisonnement que celui tenu à propos de la mucoviscidose montre que le risque d'un enfant albinos chez les couples de cousins germains atteint 1 sur 2 000, dix fois plus que chez les couples non apparentés.

Il en est ainsi pour toutes les maladies récessives ; par contre, pour les maladies liées à un gène dominant, se manifestant aussi bien chez les hétérozygotes que chez les homozygotes, l'effet est théoriquement inverse, mais, comme il s'agit toujours de gènes de fréquence très faible, l'écart entraîné par l'apparentement est insignifiant.

Dans la pratique, le cheminement de l'observation et du raisonnement est souvent inverse de celui que nous venons de suivre ; l'on s'efforce moins de prévoir la progéniture des couples apparentés, que d'attirer l'attention sur l'éventuel déterminisme génétique d'une affection, en décelant un excès de couples apparentés dans l'ensemble des familles où elle se manifeste. Ainsi en France, la proportion de mariages entre cousins germains est, en moyenne, de l'ordre de 2 pour 1 000 ; mais les statistiques hospitalières montrent qu'elle atteint 8 pour 1 000 dans l'ensemble des familles où un cas de mucoviscidose a été observé. Un tel écart est le signe que cette maladie est très probablement liée à un gène récessif ; une étude minutieuse de sa transmission dans les familles permet ensuite de préciser ce mécanisme [28, 72].

Apparentement des couples et phénotypes des enfants

Les diverses maladies cataloguées « génétiques » ne constituent qu'un ensemble bien particulier. La plupart des traits humains ne résultent nullement d'un mécanisme simple lié à un couple de gènes ; ils dépendent de nombreuses interactions mettant en jeu aussi bien l'environnement que de multiples gènes. L'apparentement entre père et mère, en rendant plus fréquents les cas d'homozygoties parmi les diverses paires de gènes impliqués, peut avoir des conséquences sur la manifestation du caractère, mais, en dépit de nombreuses recherches réalisées en vue de préciser cet effet, peu de résultats formels sont disponibles : une fois de plus, le passage entre les deux univers, celui des génotypes, celui des phénotypes, est quasi impossible.

Les données les plus précises ont été apportées par l'étude menée, après la dernière guerre, à Hiroshima et à Nagasaki, par l'Atomic Bomb Casualty Commission [78]. Cette enquête a mis en évidence certaines différences entre les caractéristiques des enfants selon l'apparentement des parents, mais ces différences sont toujours extrêmement faibles, à la limite de ce que les statisticiens appellent le « seuil de signification ».

Ainsi, sur un ensemble de près de 70 000 observations, N. Morton [62] a constaté que le poids moyen des enfants à la naissance était de 3 046 g lorsque les parents étaient cousins germains, 3 074 lorsqu'ils n'étaient pas apparentés ; la taille à 8 mois était de 68,73 cm dans le premier cas, 68,96 cm dans le second, le tour de poitrine au même âge respectivement de 42,68 cm et 42,77 cm. La consanguinité entraîne donc une certaine diminution des mesures corporelles, mais les différences sont tellement faibles que leur mise en évidence nécessite un échantillon extrêmement important.

Un résultat identique a été annoncé, sur le même ensemble d'observations japonaises, pour l'effet de la consanguinité sur les performances intellectuelles. Nous reviendrons plus loin sur les difficultés rencontrées pour définir des mesures permettant de caractériser l' « intelligence » ou diverses composantes de l'intelligence. Retenons simplement ici que les résultats aux divers tests sélectionnés par W. Schull pour évaluer les aptitudes intellectuelles des enfants japonais étaient légèrement inférieurs lorsque ces enfants étaient consanguins ; l'écart entre enfants de cousins germains et enfants de non-apparentés était en moyenne de 2,5 %.

Les différences observées sont si faibles [1] qu'il est difficile de considérer ces résultats comme apportant une preuve définitive des conséquences défavorables de la consanguinité. La comparabilité entre le groupe des familles consanguines et le groupe des familles non consanguines n'est pas, en effet, rigoureusement assurée ; une part de ces écarts peut être due à l'environnement social ou économique, aussi bien qu'au patrimoine génétique. De plus, ce qui est vrai dans une population peut fort bien ne pas l'être dans une autre, comme le montrent à l'évidence les études concernant la mortalité infantile.

Apparentement des couples, mortalité infantile et stérilité

Les premières études sérieuses des effets de la consanguinité sur la mortalité des enfants ont été réalisées en 1952 par Jean Sutter et Léon Tabah dans les départements du Loir-et-Cher et du Morbihan [84]. Utilisant des techniques démographiques très éla-

1. Et surtout les difficultés méthodologiques sont si grandes (il s'agit d'éliminer dans la comparaison les facteurs sociaux et psychologiques associés à la consanguinité).

borées, ayant recours au concept de « mortalité périnatale » qui permet de séparer les décès ayant des causes exogènes de ceux ayant des causes endogènes, notamment génétiques, ils ont constaté que le risque létal était supérieur dans la descendance des couples de cousins germains, de 90 % dans le Loir-et-Cher, de 170 % dans le Morbihan. Ces chiffres très élevés ont été largement utilisés à l'appui de théories qui insistaient sur les effets néfastes de la consanguinité. Cependant la grande enquête réalisée au Japon par l'Atomic Bomb Casualty Commission aboutissait, quelques années plus tard, à des résultats assez différents : l'accroissement de la mortalité périnatale chez les couples de cousins germains, par rapport aux couples non apparentés, était de 27 % à Hiroshima, de 9 % à Nagasaki. La dispersion de ces observations montre avec quelle prudence il faut interpréter chaque observation.

Nous avons évoqué la difficulté d'assurer une réelle comparabilité des échantillons observés chez les consanguins et chez les non-apparentés ; le moindre biais dans la représentation des diverses catégories sociales, ethniques ou professionnelles, peut enlever tout sens biologique aux résultats obtenus ; pour éliminer au mieux ces biais, J. Sutter et A. Georges ont réalisé, en 1968, dans deux vallées des Vosges, une enquête particulièrement minutieuse en prenant comme couples témoins les frères et sœurs de chacun des cousins germains dont les enfants étaient examinés [32]. Cette fois, l'accroissement de la mortalité dû à la consanguinité a été de 23 %.

Les conséquences néfastes pour l'enfant d'une plus grande homogénéité génétique peuvent se manifester bien avant la naissance ; si l'embryon est victime de tares extrêmement graves, il peut être éliminé très rapidement. La consanguinité doit, si elle est néfaste, entraîner une plus grande fréquence des avortements spontanés et un taux plus élevé de stérilité.

Là encore, les résultats des diverses enquêtes sont assez dispersés mais, partout, des accroissements importants de la fréquence des stérilités ont été constatés en fonction de la consanguinité : dans le Loir-et-Cher en 1952, 6 % des couples non apparentés étaient stériles, ce taux atteignait 10,6 % pour les couples consanguins (cousins germains et cousins issus de germains réunis) ; dans le Morbihan, ces fréquences étaient respectivement de 5,6 et 8,4 %, dans les Vosges, en 1968, de 4,6 et 6,9 %.

Ces résultats, malgré leur peu de précision, sont en accord avec les diverses observations montrant que les décès intra-utérins au cours des toutes premières périodes de la gestation ont une fréquence très élevée (de l'ordre sans doute de 50 % des conceptions) et jouent un rôle important dans l'élimination des embryons victimes de dotations génétiques défavorables.

En résumé

Nous nous trouvons finalement en présence d'un ensemble d'observations dont aucune n'est tout à fait décisive, mais qui sont toutes cohérentes avec le résultat que font prévoir les modèles théoriques : l'existence d'un lien généalogique entre le père et la mère accroît chez l'enfant la proportion de caractères homozygotes.

Cette homozygotie plus grande entraîne un risque plus élevé d'être atteint des diverses maladies génétiques récessives ; celles-ci cependant sont généralement très rares ; le risque d'atteinte, même accru, reste fort limité. Surtout, l'homozygotie entraîne un appauvrissement génétique de l'enfant qui se traduit par une diminution, à vrai dire fort faible, de certaines mesures corporelles. Simultanément elle entraîne un plus grand risque de mortalité périnatale ou fœtale, donc de stérilité du couple.

Autant il semble possible d'affirmer que la consanguinité a des conséquences génétiques défavorables, autant il est difficile de compléter cette constatation qualitative par des résultats quantitatifs. Malgré des études sérieuses et coûteuses, l'effet de l'apparentement reste imprécis ; il se révèle variable selon les populations étudiées et, de toute façon, limité.

Il apparaît au total peu probable que ces conséquences de la consanguinité soient à l'origine des règles qui prohibent, dans presque toutes les sociétés, les unions « incestueuses » ; leurs amplitudes sont beaucoup trop faibles pour qu'elles puissent être empiriquement constatées. Plus probablement, ces règles ne sont qu'un élément de l'ensemble des comportements qui assurent le fonctionnement et la survie du groupe. Il est remarquable d'ailleurs que ces règles soient fort différentes d'une culture à une autre : certains groupes encouragent le mariage avec la cousine croisée maternelle (la fille du frère de la mère), d'autres le mariage avec la nièce, unions qui ailleurs sont considérées comme incestueuses. Il ne s'agit pas là d'une eugénique, mais d'une technique d'échanges, élaborée en vue d'assurer une collaboration harmonieuse des divers clans, lignages ou tribus.

3. Un danger réel, une crainte provisoirement démesurée : les mutagènes dans notre environnement

Nous avons vu que la stabilité des gènes, sur laquelle repose le modèle mendélien, n'est pas absolue. Il peut arriver que tel individu, qui avait reçu de ses parents pour une certaine fonction élémentaire un gène a et un gène b, transmette à son enfant un gène c, ayant une action différente. Une « mutation » s'est produite. Il avait reçu des recettes de fabrication aboutissant à telle protéine, ayant une structure bien définie ; il transmet la recette d'une protéine nouvelle. Que s'est-il passé ?

De multiples événements sont nécessaires au niveau moléculaire, pour aboutir à la réalisation d'un « gamète », c'est-à-dire d'un spermatozoïde ou d'un ovule : dédoublement des chromosomes, appariement des chromosomes homologues, fabrication de chaînes d'ADN nouvelles à partir des chaînes antérieures... A chaque stade de ce processus complexe une erreur peut être commise ; il n'y a plus alors identité entre le message génétique initial et le message transmis.

Les noyaux des cellules, même lorsque celles-ci ne se dédoublent pas, ne sont pas des corps inanimés, ils sont soumis à des influences extérieures qui peuvent modifier la structure chimique des brins d'ADN, et, partant, la nature des gènes qu'ils comportent.

Lorsque de telles modifications concernent des cellules du corps non impliquées dans la fabrication des gamètes, ces mutations n'ont de conséquences que pour l'individu chez qui elles se produisent : certaines cellules de son organisme possèdent un héritage génétique différent ; il constitue, comme disent les médecins, une « mosaïque » ; il a, par exemple, reçu lors de sa conception des gènes lui donnant des yeux bleus ; une des cellules qui, au cours du développement de son organisme, participe à la réalisation de l'iris subit une mutation ; un secteur brun apparaît ; mais rien n'est changé dans les cellules des organes génitaux et il transmet à ses enfants les mêmes gènes « yeux bleus » qu'il avait reçus. Le caractère « brun » est un « caractère acquis » non transmissible.

Les seules mutations ayant des conséquences à long terme sont celles qui affectent les cellules aboutissant, par duplications successives, aux ovules ou aux spermatozoïdes. Nous n'évoquons ici que ce type de mutation.

Fréquence des mutations

Il est relativement facile de préciser la fréquence des mutations des organismes unicellulaires tels que les bactéries : il suffit d'en « élever » un grand nombre sur un milieu ne permettant que le développement de celles ayant bénéficié d'une certaine mutation, et de calculer la proportion des survivantes. Pour des organismes plus complexes et sexués, comme la mouche drosophile, la tâche est moins aisée, on y parvient en mettant au point des programmes de croisements portant sur des effectifs élevés. Pour l'espèce humaine, où toute expérience est pratiquement exclue, que ce soit pour des raisons éthiques ou pratiques (liées en particulier à la durée des générations), on ne dispose que de quelques estimations, toutes fort imprécises.

La plupart des mutations, en effet, ne se manifestent pas dès leur apparition : lorsque le caractère qu'elles entraînent est récessif, de nombreuses générations peuvent s'écouler avant que deux gènes issus d'une même mutation initiale se trouvent associés chez un individu qui, étant homozygote, exhibera le caractère nouveau. La fréquence d'apparition du gène correspondant ne peut alors être déterminée qu'en faisant appel à des modèles plus ou moins réalistes et en admettant des hypothèses sur la constance des fréquences géniques, qui n'ont aucune raison de correspondre à la réalité. L'évaluation est plus précise lorsqu'il s'agit de mutations dominantes ou concernant des gènes situés sur le chromosome sexuel X, car ces mutations se manifestent dès la première génération.

Les taux de mutation ainsi déterminés sont très variables, mais généralement compris entre 1 pour 100 000 et 1 pour 1 000 000. Ainsi, la « chorée de Huntington » est une dégénérescence progressive et inéluctable du système nerveux qui apparaît généralement à l'âge adulte. Elle est due à un gène dominant, dont l'action n'intervient qu'avec retard, souvent vers l'âge de 30 ou de 40 ans. Les personnes atteintes de cette maladie et dont les parents étaient indemnes sont victimes d'une mutation ; lors d'une enquête menée dans le Michigan sur une population de 2,3 millions de personnes, Reed et Neel ont ainsi observé 25 cas qui ne s'expliquaient pas par l'hérédité ; 25 mutations s'étaient donc produites pour un ensemble de 4,6 millions de gènes, ce qui représente une fréquence de 1 sur 184 000 [70].

La fréquence des mutations, pour un caractère élémentaire donné, est donc très faible. Cependant, pour l'ensemble des caractères, la probabilité qu'une mutation, au moins, se produise est relativement élevée. En admettant qu'un gamète humain comporte, disons 30 000 gènes, et que le taux moyen de mutation soit de 1 sur 500 000 (chiffres plausibles, mais qui ne représentent que des ordres de grandeur), la probabilité d'une mutation atteint 6 % : sur les centaines de milliers ou les millions de gamètes émis par un individu, un nombre très important est donc porteur de mutations.

Les agents mutagènes naturels

Ces mutations se produisent spontanément, au hasard, sans que les mécanismes qui y aboutissent aient été élucidés. Cependant, il est possible de les provoquer artificiellement au moyen de certains agents dits « mutagènes », radiations ou produits chimiques.

L'effet des radiations a été mis en évidence dès 1927 par H. Müller : l'exposition de mouches drosophiles à des doses croissantes de rayons X provoque une augmentation proportionnelle de la fréquence des mutations. Pénétrant à l'intérieur des tissus, ces rayons (et les diverses autres « radiations ionisantes », rayons α, rayons ß, rayons γ, rayons ultraviolets, neutrons...) expulsent certains électrons de leurs trajectoires normales ; les molécules « déséquilibrées » par la perte de ces électrons deviennent très réactives ; elles peuvent notamment se combiner avec les bases de l'ADN, porteuses de l'information génétique, et induire un changement de cette information.

Il apparut très vite que, chez la drosophile tout au moins, les radiations naturelles auxquelles sont soumis tous les organismes vivants (rayons cosmiques, radiations terrestres, atomes radioactifs contenus dans les aliments) ne pouvaient être tenues pour responsables de l'ensemble des mutations qui se produisent spontanément ; elles devraient être mille fois plus intenses qu'elles ne sont pour expliquer le taux observé. D'autres causes interviennent, principalement certaines réactions chimiques : chaque cellule est une véritable usine chimique dont les productions sont fort variées ; parmi les molécules fabriquées certaines, comme l'acide nitreux, peuvent réagir directement avec les bases constitutives de l'ADN, d'autres, comme le 5-Bromouracile, ont une structure chimique voisine de l'une de ces bases et peuvent se substituer à celle-ci. Dans chaque cas le message génétique est perturbé, une mutation se produit.

La part des mutations spontanées due aux radiations naturelles et la part due aux agents chimiques ne sont pas nécessairement les mêmes chez la drosophile et chez l'Homme tant les conditions sont différentes : complexité beaucoup plus grande de l'organisme, durée beaucoup plus longue des générations. Il est bien évidemment impossible de réaliser sur notre espèce des expériences semblables à celles que nous nous permettons sur les mouches ; l'on peut du moins étudier un animal plus proche de nous, un mammifère, la souris. Il semble que, pour cette espèce également, les radiations naturelles ne soient cause que d'une fraction très faible des mutations qui se produisent spontanément, environ 1 %.

Une estimation de ce pourcentage chez l'Homme peut être tentée en comparant la dose de radiation reçue naturellement et la dose nécessaire pour doubler le taux normal de mutation. Ces doses sont généralement mesurées en « rad », caractérisant l'énergie absorbée (1 rad équivaut à 100 ergs par gramme de tissu). On admet que la dose de radiation absorbée, au cours des trente années qui séparent la naissance de l'âge adulte, par les tissus des organes reproducteurs est de l'ordre de 3 rad (dont la moitié provenant des radiations terrestres et un quart des rayons cosmiques). Mais cette évaluation est imprécise car elle dépend de l'altitude et surtout de la nature du terrain (cette dose est notamment plus élevée dans les régions granitiques ; dans une région de l'état de Kerala aux Indes, elle est dix fois supérieure à la moyenne en raison de la présence de sables monazités, riches en atomes radioactifs).

La dose qui double le taux de mutation est plus imprécise encore. Il semble raisonnable d'admettre qu'elle est comprise entre 40 et 200 rad, chiffres qui correspondent à une part comprise entre 7 et 1,5 % pour les radiations naturelles dans la fréquence d'apparition des mutations spontanées. Malgré son imprécision cette évaluation va nous permettre d'estimer les éventuelles conséquences des changements apportés par notre civilisation aux radiations que subit notre organisme.

Pour terminer, notons que la température des cellules reproductrices joue un rôle certain dans la fréquence des mutations chez la drosophile ; cette fréquence croît lorsque la température augmente. Il est probable que le même phénomène se produit dans notre espèce. Le généticien américain Curt Stern [81] a fait remarquer que la température des organes génitaux des hommes habillés dépasse de plus de 3° celle des hommes nus : en proscrivant la nudité nos civilisations ont donc accru le rythme des mutations.

Les radiations artificielles

Le développement de notre technologie a entraîné un accroissement important des radiations auxquelles nous sommes soumis. Leur dose peut devenir telle qu'elle entraîne la mort : la chance de survie est presque nulle lorsque cette dose dépasse 450 rad ; au-dessus de 100 rad de grands désordres apparaissent, nausées, vomissements, anémie et surtout affaiblissement des mécanismes de défense contre les infections.

Mais ce sont là des conséquences individuelles, certes fort graves pour ceux qui les subissent, mais qui ne sont pas notre propos ici : nous nous intéressons aux conséquences concernant les générations futures, c'est-à-dire aux effets des radiations sur les gènes transmis, quel que soit l'état personnel de celui qui les transmet.

Le changement le plus spectaculaire intervenu dans notre environnement, dans le domaine des radiations, est, bien sûr, l'utilisation de l'énergie nucléaire sous ses diverses formes, pacifiques ou militaires ; mais le plus important, quantitativement, est l'invention des rayons X. L'aide qu'ils apportent au médecin a entraîné une utilisation parfois excessive de ces rayons ; notons cependant que seuls les rayons qui atteignent les organes de la reproduction, ovaires et testicules, peuvent avoir des conséquences sur le taux de mutation : en moyenne, dans les pays développés, la dose totale reçue par ces organes est de l'ordre de 1,3 rad pour les hommes et 0,3 rad pour les femmes, dont les ovaires sont mieux protégés. Ces ordres de grandeurs (qui peuvent être évidemment largement dépassés pour certains individus nécessitant des soins spéciaux) montrent que les conséquences sur le patrimoine génétique sont limitées : l'usage des rayons X accroît d'environ un tiers la quantité de radiations reçue naturellement, et nous avons vu que les radiations naturelles ne sont cause que d'une faible part (de 7 à 1,5 %) des mutations spontanées.

Au risque de choquer certains, il faut constater que, dans l'état actuel de son développement, l'utilisation de l'énergie nucléaire a des conséquences plus faibles encore sur le patrimoine génétique transmis.

La conscience collective de l'Humanité a été traumatisée par l'ampleur des massacres que l'« atome » permet de commettre ; les aubes atomiques d'Hiroshima et de Nagasaki ont pourtant tué moins d'hommes que les nuits au phosphore de Dresde ou de Tokyo ; mais la disproportion entre le moyen utilisé, une unique bombe de quelques centaines de kilogrammes, et le résultat obtenu, une cité de plusieurs centaines de milliers d'habitants rasée en quelques secondes, fait sentir que l'on est en présence d'un pouvoir nouveau, effrayant.

Dans une petite cour au gravier soigneusement ratissé que peuvent visiter les touristes de passage à Los Alamos (Nouveau-Mexique), près de l'usine où ont été fabriquées entre 1942 et 1945 les premières bombes atomiques, sont exposées des répliques grandeur nature de « Fat John » et de « Little Boy », les deux bombes qui ont si brillamment inauguré l'ère atomique. Il ne faut guère d'imagination pour être bouleversé par le pouvoir diabolique enfermé dans ces modestes conteneurs métalliques peints en blanc, à l'aspect si peu inquiétant. Un démon a été libéré, que chacun depuis cherche à mettre à son service.

Mais, pour lutter efficacement contre ce démon, le choix des armes n'est pas indifférent ; lui attribuer des méfaits imaginaires, le combattre sur un terrain qui ne lui est pas défavorable, ne peut à long terme que renforcer sa position. N'utilisons pas contre lui des arguments non fondés.

Dans la perspective, certes bien étroite, qui est la nôtre ici, le danger représenté par l'atome paraît réduit face aux craintes qu'il a inspirées. Les divers essais de bombes A ou H réalisés à l'air libre, depuis la dernière guerre, par les membres du « club atomique » ont libéré des produits radioactifs qui tournent autour de la terre dans les couches supérieures de l'atmosphère et qui retombent lentement sur notre globe ; certains d'entre eux n'ont qu'un pouvoir radioactif de durée limitée, tel le strontium-89 (50 jours) ; d'autres, au contraire, résistent à l'écoulement des siècles : la durée de demi-vie du carbone-14 dépasse cinq mille sept cents ans. Pour des produits dont la radioactivité est aussi résistante, des effets d'accumulation peuvent aboutir à des situations dangereuses. Retenons un chiffre global : les débris radioactifs libérés par l'ensemble des explosions qui ont eu lieu jusqu'en 1970 entraîneront une dose supplémentaire moyenne de 0,24 rad [86].

Ce chiffre peut aussi bien être considéré comme faible que comme élevé : à ceux qui imaginaient un effet catastrophique de ces expériences sur le patrimoine génétique, il montre qu'en réalité notre environnement n'a guère changé ; l'accroissement qu'elles ont entraîné dans la dose de radiation reçue par chacun est très inférieur aux écarts notés d'une région à l'autre, selon la composition du sol. Le mal n'est pas encore fait.

Cependant, s'il est très limité, cet accroissement n'est pas insignifiant ; il résulte d'un nombre peu élevé d'expériences ; la prolongation d'une politique aussi inconsciente aurait pu, par effet d'accumulation, et pourrait à l'avenir, si une reprise de ces explosions intervenait, aboutir à une situation autrement inquiétante.

C'est ce même effet d'accumulation qui motive les craintes suscitées par le développement des centrales nucléaires : malgré les précautions prises, une petite fraction de la radioactivité peut s'échapper dans les gaz émis par les cheminées ou dans l'eau de refroidissement. Il n'est guère facile de se procurer des chiffres précis mesurant ces dangers ; citons la très sérieuse *Encyclopaedia Britannica* [86] : dans son édition de 1977, elle estime que, si la tendance actuelle dans le développement de ces centrales se maintient, la dose naturelle de radiation sera doublée avant la fin du siècle par les diverses sources artificielles. Même si l'on admet que ce niveau est encore supportable, il est clair qu'un infléchissement sera nécessaire ; sinon le triplement puis le quadruplement seraient vite atteints.

Notons que ni l'usage de centrales au charbon, ni même le recours à la fusion atomique (si son utilisation industrielle est un jour réalisée) ne résoudraient entièrement le problème de la pollution radioactive. C'est la course à l'énergie elle-même qui est à l'origine de ce danger.

Mutagénicité des produits chimiques

Les chimistes sont gens particulièrement féconds et imaginatifs ; notre vie quotidienne a été profondément modifiée par les divers produits qu'ils ont créés. Mais nous avons vu que nos cellules sont elles-mêmes des usines chimiques ; certains des produits qui pénètrent dans ces usines ou qui y sont fabriqués peuvent réagir avec les bases de l'ADN, modifier la structure de nos chromosomes, induire des mutations. Comment savoir si un produit, naturel ou artificiel, est doué de ce terrible pouvoir ? A vrai dire, notre ignorance dans le domaine est presque totale.

Pour la plupart des produits introduits dans la nourriture, des expériences de mutagénicité sont réalisées sur des cultures de cellules ou sur des organismes inférieurs ; mais les conclusions que l'on en tire ne sont pas nécessairement valables pour l'Homme : tel produit mutagène sur des bactéries peut être inoffensif pour nous s'il ne peut pénétrer jusqu'aux noyaux des cellules, ou s'il est détruit par certaines réactions ; tel autre, inoffensif sur les espèces testées en laboratoire, peut être actif dans les cellules humaines (à l'image de la célèbre Thalidomide, responsable de la naissance de tant d'enfants démunis de bras ou de jambes).

Des expériences directes sur l'Homme ne sont pas envisageables, pour des motifs éthiques, bien sûr, mais aussi parce qu'elles ne permettraient pas vraiment de conclure : dans l'hypothèse où l'ingestion d'un produit accroîtrait de, disons 20 %, le taux de mutation, il faudrait utiliser comme cobayes quelques centaines d'hommes et de femmes et attendre plusieurs générations avant de déceler un effet significatif. (Même dans le cas de la Thalidomide, qui provoque pourtant des malformations particulièrement spectaculaires, il a fallu de nombreuses années pour remonter à la cause de cette « épidémie ».)

Cette incapacité, probablement durable, à déceler un éventuel pouvoir mutagène des substances chimiques nouvelles, que nous utilisons parfois à haute dose, est particulièrement grave. Une faible partie, moins de 7 ou 8 %, des mutations spontanées est due aux radiations ionisantes ; l'autre partie est liée pour l'essentiel aux divers processus chimiques qui se déroulent dans les cellules ; toute modification apportée aux conditions dans lesquelles se déroulent ces processus peut donc avoir des conséquences dramatiques. Il ne s'agit là que d'une possibilité ; la plupart des substances sont, selon toute probabilité, rigoureusement inoffensives à l'égard de notre patrimoine génétique ; mais nous ne pouvons que l'espérer sans apporter la moindre preuve objective. Devant cette carence de notre information la seule attitude raisonnable devrait être la prudence ; il ne semble pas que cette attitude soit celle de notre société.

4. Un concept flou : les races humaines

Dès que l'on observe un ensemble aussi complexe que l'ensemble des hommes, on ressent la nécessité de réaliser des classifications, des regroupements, en affectant à une même catégorie les individus paraissant les plus semblables. Pour que ce classement ait un sens biologique il faut naturellement que les caractères permettant d'apprécier les ressemblances soient héréditaires et qu'ils présentent une certaine stabilité d'une génération à l'autre.

Les premières tentatives de classification ne pouvaient reposer que sur les données fournies directement par l'observation : les formes et les couleurs des individus ; ces classifications pouvaient être subtiles, tenir compte de paramètres complexes, mais par construction, elles ne pouvaient concerner que l'« univers des phénotypes ». Ainsi les taxonomistes ont-ils pu définir diverses « races » en fonction de la couleur de la peau (noirs, blancs ou jaunes), de la texture des cheveux (crépus ou lisses), du rapport de la largeur de la tête à sa longueur (dolichocéphales ou brachycéphales), etc. Selon les caractères étudiés, les classes ou « races » ainsi définies pouvaient être variables et les polémiques étaient vives entre ceux qui, comme H. Vallois, décelaient 4 races principales et 25 races secondaires et ceux qui en comptaient 20, ou 29, ou 40...

Les découvertes de la génétique ont permis de préciser enfin la problématique, en apportant la possibilité de donner un contenu plus objectif au concept de race : une race est un ensemble d'individus ayant en commun une part importante de leur patrimoine génétique. Il s'agit cette fois de caractéristiques intrinsèques des divers groupes humains, indépendantes de leurs conditions de vie ; la classification concerne l'« univers des génotypes ». On peut donc espérer aboutir à des résultats clairs, entraînant l'adhésion générale.

Malheureusement, le comportement des scientifiques en ce domaine a été celui, dénoncé par l'Écriture, consistant à « mettre du vin nouveau dans de vieilles outres », c'est-à-dire à interpréter des observations nouvelles à l'aide de vieux concepts ; malgré des progrès remarquables de la connaissance, la confusion des esprits n'a fait que croître ; les biologistes qui ont eu le courage d'aller contre les idées reçues (J. Hiernaux [38], J. Ruffié [76] ou A. Langaney [49] par exemple, récemment en France) n'ont pas bénéficié d'une audience suffisante ; l'« opinion » reste marquée par des théories, totalement dépassées, mais qui gardent l'autorité des vieux mythes.

Race et racisme

Il n'est pas inutile, pour commencer, de confronter ces deux termes, race et racisme :

— l'un évoque des recherches scientifiques, a priori légitimes, basées sur des données objectives : le but est de mettre au point des méthodes de classement des individus permettant éventuellement de définir des groupes, les « races », relativement homogènes ;

— l'autre évoque une attitude d'esprit, nécessairement subjective : il s'agit de comparer les diverses races en attribuant une « valeur » à chacune et en établissant une hiérarchie.

Ces deux activités sont, bien évidemment, distinctes : l'on peut chercher à définir des races sans le moins du monde être « raciste » au sens que nous venons de préciser. Remarquons cependant que cette possibilité reste, le plus souvent, toute théorique. Le besoin de définir des races est rarement motivé par un pur souci de taxonomiste désireux de mettre de l'ordre dans l'ensemble de ses données ; il résulte du désir, si développé dans notre société, de différencier des autres groupes celui auquel nous appartenons. Il correspond à l'idée platonicienne d'un « type ». Nous pouvons définir l'espèce humaine, mais il est difficile de préciser avec quelques détails le type humain idéal ; plusieurs types sont nécessaires : le Blanc, le Noir, l'Indien, l'Esquimau, etc.

Pour marquer de façon un peu caricaturale, et sans prétendre que les taxonomistes sérieux sont tombés dans ces excès, jusqu'où peuvent aller cette typification et la confusion qu'elle entraîne, citons quelques extraits de la *Géographie universelle* de Crozat parue en 1827 [19], il y a seulement un siècle et demi :

> Les Chinois ont le front large, le visage carré, le nez court, de grandes oreilles et les cheveux noirs... Ils sont naturellement doux et patients mais égoïstes, orgueilleux...
> Les Nègres sont en général bien faits et robustes, mais paresseux, fourbes, ivrognes, gourmands et malpropres...
> Les habitants de l'Amérique sont agiles et légers à la course ; la plupart sont paresseux et indolents, quelques-uns sont fort cruels...

Arrêtons là ce sottisier qui, il faut le rappeler, n'est pas fourni par la prose d'un romancier formulant des sentiments personnels, mais a été écrit par un géographe soucieux de faire œuvre scientifique. Ces citations ont le mérite de montrer qu'une classification repose le plus souvent sur un mélange de critères, les uns objectifs, les autres subjectifs, et qu'elle évite rarement une hiérarchisation : les races sont différentes, donc certaines sont « meilleures » que d'autres. On sait jusqu'où, dans cette voie, ont pu aller certains dictateurs.

Ils ne faisaient d'ailleurs qu'exploiter dans le domaine de la politique, de l'action, les idées que leur avaient fournies certains scientifiques. Notre vision de la transformation progressive des êtres vivants, plantes, animaux ou hommes, est basée, depuis Darwin, sur les concepts de la lutte pour la vie, de la victoire du plus apte, de l'élimination des êtres débiles, de la propagation, au fil des générations, des traits favorables. Ces concepts, définis au départ pour caractériser les individus, ont été, presque sans discussion, étendus aux groupes d'individus, aux races. Les différences entre peuples ont été vues comme le résultat d'évolutions plus ou moins favorables, ont été perçues comme des inégalités ; il n'est guère besoin d'interroger longuement nos concitoyens pour constater que, dans leur esprit, ces inégalités font partie des évidences : certaines races sont supérieures (en général la nôtre), d'autres sont inférieures.

Certes la plupart des Français affirment sincèrement qu'ils ne sont pas racistes ; les Sud-Africains, les Américains du Nord, les Allemands ou les Russes sont d'affreux racistes, mais pas nous. Tout juste estimons-nous, avec raison bien sûr, que nous sommes supérieurs aux Arabes, aux Noirs, aux Tsiganes ou aux Hindous, sans compter divers autres peuples mal dotés par la nature et qui, n'est-ce pas, « ne sont pas comme nous ». Soyons sérieux, le racisme, c'est-à-dire le sentiment d'appartenir à un groupe humain disposant d'un patrimoine biologique meilleur, est un sentiment à peu près universellement partagé.

Il n'est guère difficile de découvrir des exemples d'attitudes où ce racisme inconscient se dévoile ; le plus étonnant que nous ayons trouvé est sans doute cette phrase inattendue figurant dans le *Règlement du service dans l'armée* au chapitre précisant les missions du colonel : « Le colonel... indique les moyens les plus propres à développer le patriotisme : fortifier l'amour de la Patrie et le sens de la supériorité de la race... » Il ne s'agit pas d'un règlement concernant l'armée allemande au temps du nazisme, il s'agit de l'armée française, et ce document a été imprimé en 1957.

Qu'une telle phrase ait pu être écrite et approuvée par plusieurs ministres et chefs d'état-major montre combien il paraît naturel, à la plupart d'entre nous, de définir une « race française » et de glorifier sa valeur par rapport aux autres races.

Un scientifique constatant que, effectivement, les éléments en sa possession aboutissent à confirmer l'existence de races « inégales », c'est-à-dire hiérarchisables, ne devrait pas cacher cette conclusion ; l'éthique de la science est le respect de la vérité. Mais, inversement, il ne doit pas hésiter, pour proclamer cette vérité, à lutter contre les idées reçues, même si elles sont adoptées à la quasi-unanimité. Il est important de faire le point : qu'apporte la science, et principalement la génétique, au concept de race ?

Qu'est-ce que classer ?

Définir des races, c'est opérer une classification au sein de ce vaste ensemble que représentent les quelques milliards d'hommes actuellement vivants et leurs quelques dizaines de milliards d'ancêtres.

De même, définir des espèces c'est opérer des regroupements au sein de l'ensemble des individus appartenant au monde vivant ; mais dans ce dernier cas nous disposons d'un critère assez précis pour décider si deux individus appartiennent ou non à une même espèce : leur capacité (réelle ou potentielle) de se féconder. Bien sûr, divers cas limites posent problème, mais nous pouvons admettre que l'appartenance à l'espèce « Homme » est une notion assez claire ; il se trouve que tous les individus que nous considérons comme des hommes, si éloignés fussent-ils, Aborigènes d'Australie, Esquimaux du Grand Nord, habitants de la Terre de Feu, Européens ou Mélanésiens, sont « potentiellement interféconds ».

Mais aucun critère de cette sorte ne peut être précisé lorsqu'il s'agit de décider si deux individus appartiennent ou non à une même race. Tous les jours nous prenons pourtant, sans difficulté, ce genre de décision ; nous n'avons pas besoin d'une science bien développée pour savoir que tel homme rencontré dans la rue est chinois, arabe ou indien, sans (presque) nous tromper. Interrogeons-nous cependant sur le processus mental qui aboutit à ce genre de classement.

Nous sommes en présence d'objets divers, par exemple tous les individus appartenant à notre espèce ; nous voulons remplacer cet ensemble d'éléments dont l'effectif est trop grand pour que notre esprit puisse aisément les comparer les uns aux autres, par un ensemble de classes, en nombre beaucoup plus petit, telles que chaque élément initial appartienne à une classe et à une seule, et telles que les éléments d'une même classe soient « semblables ».

Il nous faut donc tout d'abord préciser ce que nous entendons par « similitude », en particulier il nous faut choisir les critères que nous prenons en considération. Si nous ne prenons qu'un critère, par exemple la couleur de la peau de la face interne du bras, nous pouvons aisément mesurer ces ressemblances ; mais si nous en prenons plusieurs, par exemple cette couleur et la largeur de la tête, il nous faut définir arbitrairement une mesure globale tenant compte simultanément de ces deux paramètres. La technique permettant d'y parvenir a été mise au point par les mathématiciens, elle consiste à calculer une « distance » : deux individus sont d'autant plus « semblables » globalement que la distance entre eux est plus petite. De nombreuses formules permettent de faire un tel calcul : à un même ensemble de données, nous pouvons faire correspondre divers ensembles de distances entre individus, selon que nous aurons eu recours à la « distance euclidienne », à la « distance Manhattan », ou à la « distance du chi carré ». Le choix est pratiquement sans limites, tant est riche l'imagination des mathématiciens.

Supposons que, ayant choisi certains critères de classement, ayant choisi une formule de calcul des distances, nous ayons pu déterminer toutes les distances d_{ij} entre chaque individu i et chacun des autres j (pour les quelque 4 milliards d'hommes actuellement vivants, le nombre de distances deux à deux sera de l'ordre de 8 milliards de milliards). Les « classes » que nous cherchons à préciser auront un sens si les distances entre individus d'une même classe sont, tout au moins en moyenne, nettement plus petites qu'entre individus de classes différentes. Là encore de multiples méthodes pour y parvenir ont été mises au point, qui aboutissent chacune à un résultat différent.

La plus simple, celle qui reste sans doute la plus proche du cheminement intuitif, naturel, est la méthode consistant à construire un « arbre » : l'on réunit tout d'abord les deux éléments les plus proches pour constituer une classe faite de ces deux éléments, puis l'on réunit les classes les plus proches ; l'on réduit ainsi peu à peu le nombre de classes jusqu'à ce qu'il n'en reste qu'une qui regroupe l'ensemble.

Pour illustrer ce processus, prenons l'exemple très simple d'une espèce qui ne comporterait que 10 individus a, b, ..., j. Nous avons choisi des critères de classement ; nous avons obtenu la mesure de chaque critère pour chaque individu ; nous avons enfin choisi une formule de « distance », ce qui nous a permis de calculer les 45 nombres d(a, b), d(a,c)..., d(ij) mesurant ces distances, c'est-à-dire caractérisant la plus ou moins grande dissemblance des individus. Nous constatons que la distance la plus petite est d(a, f) ; nous regroupons donc a et f en une « classe » que nous appelons K_1 et que nous considérons maintenant comme un « individu » fictif ; nous calculons ensuite les 36 distances entre K_1, b, c, d, e, g, h, i, j ; nous constatons alors que d (K_1, c) est la plus petite de ces distances, nous regroupons donc c avec la classe K_1 (a, f), ce qui donne la classe K_2 et nous continuons. Ce travail a nécessité au passage la définition d'un mode de calcul pour la distance entre une classe, telle que K_1, et un élément, et pour la distance entre deux classes, ce qui peut être réalisé de multiples façons.

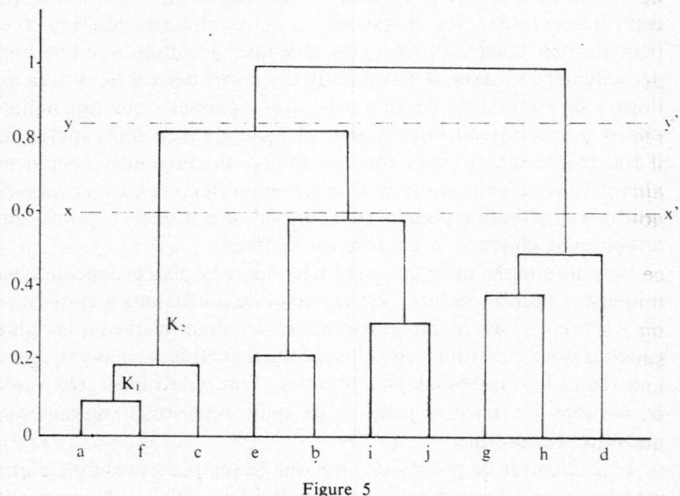

Figure 5

Au prix de tous ces arbitraires, nous obtenons un « arbre » tel que celui de la figure 5. Comment l'utiliser pour définir les races ? Il nous reste encore un choix à faire, celui du nombre de ces races, nombre nécessairement compris entre 1 (la race et l'espèce sont alors confondues) et 10 (autant de races que d'individus, ce qui enlève tout sens à notre effort). Si nous voulons distinguer 3 races, nous coupons l'arbre à la hauteur du trait xx', ce qui aboutit aux « races » (a f c), (e b i j) et (g h d) ; mais si nous préférons un regroupement en deux races, il nous faut tracer le trait yy' et opposer la « race » (a f c e b i j) à la « race » (g h d) ; etc.

Notons cependant que la hauteur à laquelle nous avons situé les lignes horizontales regroupant les individus ou les classes a un sens : elle représente la perte d'information qu'il faut consentir pour remplacer les données initiales, concernant les individus, par des données globales concernant les classes. On voit que, dans notre exemple, le regroupement en 3 races ne perd que 60 % de cette information (le trait xx' qui coupe l'arbre au niveau où il a trois branches est en effet à la hauteur 0,6), alors que celui en deux races perd plus de 80 % ; pour ne perdre aucune information il faut rester à la hauteur 0, ce qui consiste à n'opérer aucun regroupement ; pour regrouper l'ensemble en une seule catégorie il faut au contraire perdre la totalité de l'information. On peut ainsi être guidé vers un choix judicieux du niveau auquel couper notre arbre, donc du nombre de races retenu.

Ce court aperçu paraîtra bien léger aux chercheurs habitués à ce genre de travail ; les techniques permettant d'analyser au mieux les données recueillies, d'en tirer la « substantifique moelle », souvent bien cachée dans le fatras des informations surabondantes, ont connu un remarquable développement depuis une vingtaine d'années. Nous n'avons pas cherché ici à faire un cours, mais à faire prendre conscience que l'opération « classer », qui peut paraître si simple, si naturelle, est une activité en réalité très complexe dont le résultat dépend de choix fort arbitraires. Il ne s'agit pas de nier toute valeur au résultat d'un classement, il s'agit d'être conscient de sa relativité.

Les arbres « phylogéniques »

Cette opération de classement, que nous venons d'analyser sous la forme de la construction d'un arbre, peut s'appliquer à des ensembles quelconques d'objets, que ce soit le stock d'une quincaillerie, les divers langages parlés sur notre globe, les animaux d'une forêt, ou les individus appartenant à notre espèce. Mais, dans ce dernier cas, l'objectif n'est pas seulement de regrouper les individus semblables en classes plus ou moins homogènes, il est de retrouver un fait historique : leurs généalogies, l'ensemble structuré de leurs ancêtres, générations après générations.

Deux individus ayant des ancêtres communs ont reçu de ces ancêtres des gènes que nous avons qualifiés d'« identiques » ; cette similitude de leurs génotypes entraîne une certaine ressemblance de leurs phénotypes. Lorsque, comparant les phénotypes, nous opérons des regroupements, nous pouvons espérer que les individus que nous comparons seront d'autant plus proches qu'ils auront un plus grand nombre d'ancêtres communs ; en construisant l'arbre de classement, nous obtiendrons, à peu de chose près, le schéma de leurs liens parentaux, de leurs filiations ; nous dessinerons ce que l'on appelle un « arbre phylogénique ».

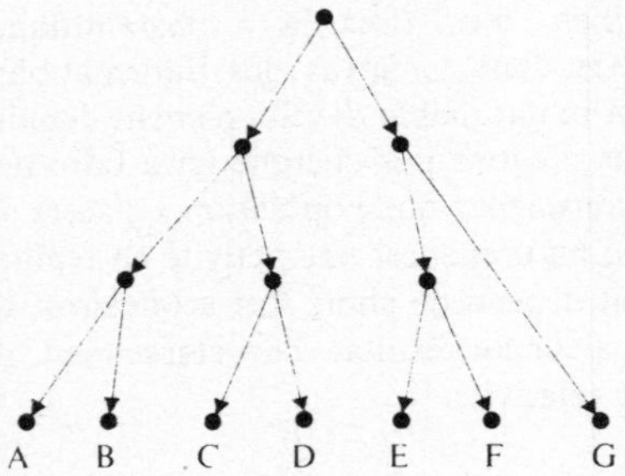

A B C D E F G

Figure 6

Imaginons une population ayant subi des essaimages successifs, dans un processus de fission tel que celui de la figure 6 : chaque groupe, après une certaine période de vie autonome, se scinde en deux populations définitivement et totalement séparées qui, à leur tour, subissent plus tard une fission semblable.

Un individu appartenant au groupe A de notre figure a plus de gènes en commun avec un individu du groupe B qu'avec un individu de C ou de G, car il faut, entre A et B, remonter un nombre plus faible de générations pour trouver des ancêtres communs. Par l'examen des ressemblances nous pouvons donc tenter, connaissant les populations actuelles, de reconstituer l'histoire de leurs filiations. On imagine l'intérêt d'une telle reconstitution pour les historiens ou les ethnologues, qui se posent tant de questions sur les origines des peuples qu'ils étudient.

Ce travail a été réalisé avec une assez remarquable précision semble-t-il, pour l'ensemble des espèces, considérées chacune

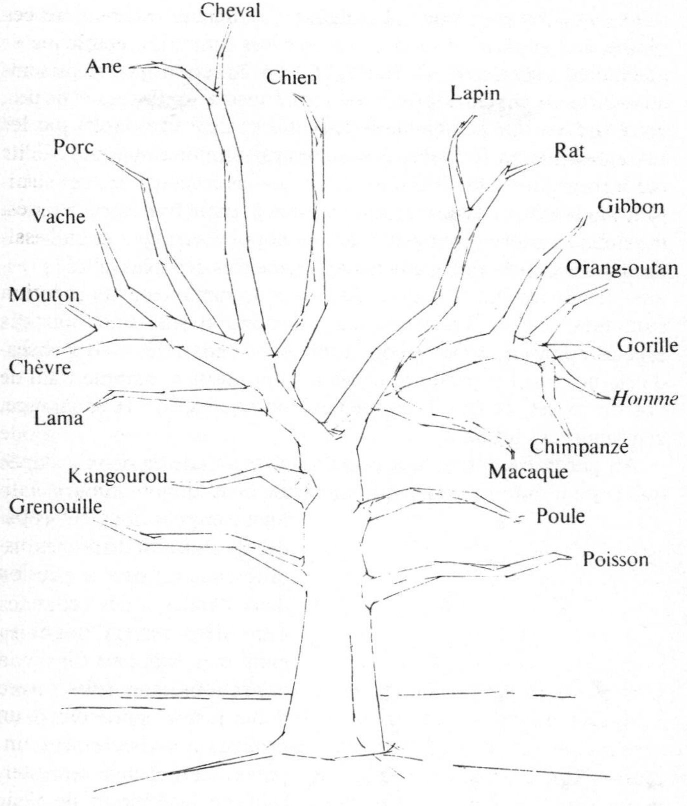

Figure 7

comme un groupe homogène, qui constituent le monde vivant. On dispose maintenant d'arbres sur lesquels figurent aussi bien la baleine que la mouche, l'homme que la truite, ainsi que leurs lointains ancêtres communs. La figure 7 donne un arbre vraisemblable de l'apparition de diverses espèces animales, établi par le généticien américain D. Hartl [36] en fonction des écarts de structures de diverses protéines communes à toutes ces espèces ; cet arbre est très semblable à ceux qui avaient été établis par les taxonomistes en fonction des comparaisons anatomiques. Cette reconstitution est facilitée par le fait que les diverses espèces satisfont la condition que nous avons prise comme hypothèse pour le dessin d'un arbre phylogénique : les populations sont soumises à des fissions, mais non à des fusions ; une fois séparées, elles le restent définitivement. Lorsque, par suite de remaniements chromosomiques, ou de l'accumulation des mutations, une nouvelle espèce apparaît, toute fécondation est impossible avec l'espèce d'origine, (ou les produits obtenus sont stériles, comme dans le cas du mulet, ce qui a les mêmes conséquences) ; la séparation génétique est totale.

Au contraire, lorsqu'une population se scinde en deux groupes qui restent interféconds, qui appartiennent donc toujours à la même espèce tout en ayant des évolutions distinctes, se différenciant peu à peu en deux « races », des échanges génétiques restent possibles entre eux, soit sous forme de migrations, soit sous forme d'une fusion totale des deux groupes provisoirement séparés. Le schéma représentatif de l'évolution de l'ensemble n'est plus un arbre comme celui de la figure 6, mais un réseau complexe, tel celui présenté par la figure 8 ; ce réseau ne peut en aucune façon être comparé à un arbre de classement ; les techniques mathéma-

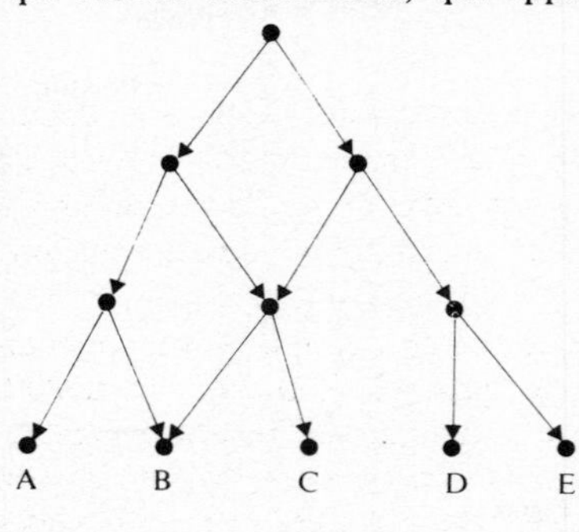

Figure 8

tiques, même très sophistiqués, qui permettent de construire de tels arbres sont totalement incapables de reconstituer des réseaux rendus complexes par l'existence de fusion entre groupes.

Nous verrons que, malgré cette impossibilité fondamentale, de nombreux chercheurs ont tenté d'utiliser les données recueillies sur les populations actuelles pour préciser les éventuelles liaisons historiques entre celles-ci. Ces tentatives ne sont pas inutiles dans la mesure où l'on reste conscient de leur portée limitée ; leurs résultats ne peuvent constituer qu'une information à confronter à d'autres informations. Le plus souvent d'ailleurs, il ne s'agit nullement d'étudier la phylogénie de l'ensemble de l'Humanité, mais plus simplement d'analyser les rapports entre les divers groupes vivant dans une aire géographique limitée.

Des peaux et des couleurs

Le caractère spontanément pris en considération pour définir les races est celui qui est le plus facilement repéré : la couleur de la peau. Il s'agit d'un caractère évidemment héréditaire, soumis à un déterminisme génétique assez rigoureux. Mais ce déterminisme est bien mal connu.

Rappelons tout d'abord que, contrairement à une opinion répandue, les diverses couleurs de peau résultent, pour l'essentiel, de la densité dans l'épiderme d'un unique pigment, la mélanine, présent aussi bien chez les Blancs que chez les Jaunes ou chez les Noirs, mais avec des doses très variables. Les différences constatées sont donc surtout quantitatives et non qualitatives. A l'intérieur d'un même groupe la dispersion est généralement très grande, l'écart entre deux individus d'une même population peut être beaucoup plus grand que celui constaté entre les moyennes de deux groupes appartenant à des « races » distinctes. Dans une étude récente intitulée « La quadrature des races », André Langaney [49] fait remarquer que l'on peut passer sans discontinuité des hommes les plus clairs (les Européens du Nord) aux plus foncés (les Sara du Tchad), en ne choisissant les intermédiaires que dans deux autres populations (les Africains du Nord et les Bochimans).

Les études de croisements entre Noirs et Blancs et entre leurs descendants ont montré que ce caractère se comporte de façon très mendélienne : tout se passe comme s'il était gouverné par 4 paires de gènes ayant des effets additifs ; le mécanisme réel est sans doute beaucoup plus complexe, mais ce modèle simple rend très bien compte des observations. Dans cette optique les « Blancs » possèdent huit gènes b entraînant une couleur claire, les « Noirs » huit gènes n entraînant une couleur foncée. Tous les intermédiaires sont possibles selon la valeur du nombre x de gènes b et du nombre 8-x de gènes n.

Le groupe des « American Negroes », citoyens des États-Unis catalogués « nègres », permet de confirmer ce modèle génétique. Ce groupe, très hétérogène, est constitué de tous les Américains du Nord ayant parmi leurs ancêtres des Africains déportés comme esclaves à partir du XVIIe siècle et jusqu'au milieu du XIXe ; leurs généalogies réelles comprennent aussi bon nombre d'Européens ; les jeunes Noires qui avaient un enfant de leur maître blanc mettaient au monde un « nègre ». La comparaison des fréquences de certains gènes dans les populations africaines de la région du golfe du Bénin, source principale du flot d'esclaves, dans les populations anglo-saxonnes d'Europe et dans le groupe « Noirs américains » permet d'estimer à environ 25 % l'apport de gènes « blancs » dans ce groupe.

Ainsi pour le système sanguin Rhésus la fréquence d'un certain gène appelé R_0 est de 63 % chez les Africains, alors qu'elle n'est que de 3 % chez les Européens. Dans le groupe des Noirs américains sa valeur est intermédiaire, 45 %, ce qui est compatible avec l'hypothèse d'un apport d'un quart de gènes européens. Il ne s'agit là bien sûr que d'une estimation globale ; les proportions réelles sont certainement très différentes selon les régions et les familles. (L'apport génétique des Blancs est plus grand chez les American Negroes du Nord et de l'Ouest des États-Unis que chez ceux du Sud.)

Avec cette hypothèse, chez un « Noir » des États-Unis, chacun des gènes gouvernant la couleur de la peau, peut, avec une chance sur quatre, être un gène b ; la probabilité pour que les 8 gènes concernés soient tous b est donc égale à $(1/4)^8$, soit environ 1/65 000 : autrement dit parmi les quelque 20 millions de « Noirs américains » plusieurs centaines ne possèdent que des gènes de la couleur blanche, et sont donc effectivement blancs ; de même la probabilité de posséder 8 gènes n est de $(3/4)^8$, soit environ 1/10 : 2 millions seulement des « Noirs américains » n'ont, pour la couleur de la peau, que des gènes fournis par les fondateurs africains du groupe et sont aussi noirs que leurs ancêtres. On peut continuer ce calcul et préciser la répartition des « Noirs » selon le nombre, compris entre 0 et 8, de gènes n dont ils sont dotés ; cette répartition est très proche de celle effectivement observée pour l'intensité de la couleur de la peau dans cette population, le « modèle à quatre paires de gènes » est donc une bonne représentation de la réalité.

Les populations de peau très foncée se trouvent surtout en Mélanésie, c'est-à-dire l'ensemble des îles situées dans la partie Sud-Ouest du Pacifique, dans la péninsule indienne et dans l'Afrique au sud du Sahara, régions qui sont, toutes, proches de l'équateur ; cette observation constitue un argument en faveur de la théorie accordant à la peau noire une valeur adaptative plus grande dans les pays chauds ; nous verrons plus loin que même cette idée, si généralement admise, peut être controversée. Notons seulement, pour l'instant, que ces trois catégories de populations ne peuvent en aucune façon être considérées comme constituant une « race » ; en dehors de la couleur de la peau, tout les différencie : l'analyse de leurs systèmes sanguins par exemple montre qu'il est impossible de les considérer comme trois rameaux issus d'un même groupe ; leur « arbre phylogénique » ne peut se représenter par trois branches partant d'un même tronc. S'il en avait été ainsi, d'autres caractères que la couleur noire auraient été présents chez l'hypothétique population ancêtre et se retrouveraient dans ces trois ensembles de la population. Tel ne paraît pas être le cas. Cette constatation montre à l'évidence qu'aucun classement basé sur la seule couleur ne peut avoir de sens biologique ; ce fait est fort ennuyeux pour ceux qui s'imaginent qu'une définition des races peut être basée sur ce critère (ce que ne font évidemment plus les anthropologistes) ; mais il s'impose à nous.

Finalement nous constatons que si la couleur de la peau est le caractère le plus évident, le plus facile à comparer, elle ne correspond qu'à une part infime de notre patrimoine génétique (sans doute 8 ou 10 gènes sur quelques dizaines de milliers) ; elle n'est apparemment liée à aucun autre caractère biologique important ; elle ne peut donc en aucune manière servir à un classement significatif des populations : que de drames individuels ou collectifs auraient pu être évités, et pourraient encore l'être à l'avenir, si cette évidence avait été ou était enfin admise par tous.

D'autres caractères physiques, plus ou moins faciles à mesurer, ne peuvent-ils être substitués à la couleur de la peau comme base de classification ?

La taille, la longueur de la tête, sa largeur, le rapport de ces deux dernières mesures (l'indice céphalique permettant de différencier les « brachycéphales » des « dolichocéphales »), et tant d'autres mesures du corps peuvent être utilisés pour déterminer ressemblance et dissemblance entre individus ou entre groupes. Mais les déterminismes génétiques de ces caractères sont très mal connus, ou même pour la plupart d'entre eux, totalement inconnus ; il est impossible dans l'état actuel de nos connaissances, et probablement pour longtemps, d'utiliser les informations recueillies sur les phénotypes pour en inférer des conclusions concernant les génotypes.

De plus certains de ces caractères, malgré leur dépendance étroite du patrimoine génétique, sont très peu stables ; ainsi la taille. Dans tous les pays industrialisés on assiste depuis le début du siècle à un accroissement extraordinairement rapide de la stature ; d'après une récente étude de G. Olivier [67], la taille des conscrits français âgés de 20 ans était de :

165,4 cm en 1880	165,8 cm en 1900	165,7 cm en 1920
168,5 cm en 1940	170,0 cm en 1960	172,3 cm en 1974

Selon ces données ce phénomène est de plus en plus rapide. Il est exclu que ce changement corresponde à des modifications génétiques ; seules des influences du milieu (lesquelles ? on ne peut répondre que par des conjectures) ont pu intervenir en un intervalle de temps aussi court. Constater que le caractère « taille » est à ce point variable conduit à abandonner tout espoir de l'utiliser pour comparer les diverses populations ou pour reconstituer leur « arbre phylogénique ».

En ne considérant que des caractères quantitatifs, dont nous verrons au chapitre VI que leur interprétation génétique est toujours délicate, l'anthropologie risquait de s'enfoncer dans une impasse ; les progrès de la biochimie lui ont opportunément apporté des données permettant une étape nouvelle : ces données concernent des caractères, essentiellement les systèmes sanguins, dont le déterminisme génétique est si strict que le passage du phénotype observé au génotype est beaucoup plus aisé.

Le sang et ses « systèmes »

Le premier « système » sanguin a été défini en 1900 (l'année même où la redécouverte des lois de Mendel donnait le départ au développement de la génétique, mais ceci est pure coïncidence).

Le biologiste autrichien Karl Landsteiner constata que le sang de certaines personnes a le pouvoir d'agglutiner le sang de certaines autres, ce qui explique les accidents qui surviennent au cours des transfusions sanguines il put ainsi établir l'existence de quatre « groupes » : A, B, AB et O. L'analyse de la transmission de ce caractère dans les familles montra qu'il était gouverné, chez chaque individu, par une paire de gènes, chacun de ces gènes pouvant avoir trois spécificités A, B ou O, de plus, le gène O est récessif devant les gènes A ou B ; la correspondance entre la paire de gènes possédée (le génotype) et le caractère manifesté (le phénotype) est donc :

Génotype	Phénotype
AA et AO	A
BB et BO	B
AB	AB
OO	O

Ce n'est que vingt-sept ans plus tard que le même Landsteiner découvrit un second système, dit « MN », puis en 1940 un troisième, le système Rhésus bien connu. Depuis la dernière guerre le rythme des découvertes s'est accéléré ; l'étude aussi bien de la structure des hémoglobines, que des propriétés des globules rouges, des globules blancs ou du sérum, a abouti à la mise en évidence de plus de 70 systèmes et la liste s'allonge chaque année.

L'immense avantage de ces caractères est de nous donner accès à l'« univers des génotypes » ; la vision que nous avons ainsi de cet univers est certes terriblement limitée, car il s'agit d'un très faible nombre de gènes, mais elle nous permet une comparaison des populations fondée sur des mesures objectives, indépendantes des effets du milieu sur chaque individu : celui qui a reçu un gène A et un gène B appartient au groupe AB, qu'il soit jeune ou vieux, famélique ou bien nourri, qu'il vive dans une forêt tropicale ou dans le grand Nord canadien. Pour classer les populations il suffit donc d'accumuler des données suffisamment nombreuses à partir d'échantillons de sang prélevés dans les diverses populations humaines. Ce travail a été entrepris par de multiples équipes qui n'ont guère laissé de « terres inconnues » sur les cartes où sont indiqués les résultats obtenus ; le récent atlas du Pr A.E. Mourant [63] en est la preuve ; dans de nombreuses régions cependant les échantillons sont loin d'être suffisamment représentatifs, les résultats publiés sont imprécis ; la tâche n'est donc pas achevée et nécessitera encore beaucoup d'efforts.

Certaines leçons peuvent cependant être tirées des informations actuellement disponibles, si incomplètes ou imparfaites soient-elles.

La première est la rareté des gènes ayant réellement un rôle « marqueur » : lorsqu'un certain gène g est présent dans une population P et absent dans toutes les autres, il représente un caractère spécifique permettant de différencier cette population P ; il constitue un « marqueur » : un individu porteur de ce gène g ne peut appartenir qu'à la population P. Remarquons tout d'abord que la réciproque n'est pas vraie : les individus appartenant à P ne possèdent pas tous le gène g, ce gène peut même être relativement rare dans cette population P. Il résulte d'une mutation qui s'est produite dans la population P ou qui y a été introduite par un migrant, mais qui ne s'est pas nécessairement largement répandue. Bien que menée avec vigueur, la chasse aux « marqueurs » a été peu fructueuse : l'exemple le plus net est celui d'un certain gène a du système « Diégo » découvert en 1954 au Venezuela ; ce gène, dont la fréquence atteint 40 % dans certaines tribus indiennes d'Amérique du Sud, est totalement absent en Afrique centrale, ainsi que chez les Polynésiens, les Papous et les Aborigènes australiens ; on ne l'a trouvé en Europe que dans des cas exceptionnels ; par contre, il est assez largement représenté dans la plupart des peuples d'Asie extrême orientale.

De même certains gènes du système Gm, dont nous reparlerons, peuvent être considérés comme spécifiques de l'Afrique centrale : le « GmG » et le « GmH ». Il est exceptionnel, mais non tout à fait impossible, de trouver ces gènes dans d'autres populations.

Pour la presque totalité des autres gènes, quel que soit le système concerné, aucune spécificité n'apparaît. Ce qui distingue deux populations n'est pas le fait qu'elles possèdent ou ne possèdent pas tel gène, mais le fait que les fréquences de ce gène y sont différentes. Ce n'est plus un critère par « tout ou rien », mais un critère continu par « plus ou moins ».

Pour comparer des populations, il nous faut donc synthétiser en un critère unique leur plus ou moins grande ressemblance, c'est-à-dire la plus ou moins grande similitude des fréquences qu'on y a trouvées pour divers gènes. Prenons un exemple imaginaire, celui de 4 populations dans lesquelles on connaît les fréquences de 4 gènes a_1, a_2, a_3, a_4 d'un certain système ; les données, exprimées en pourcentage de chacun de ces gènes dans chaque population sont les suivantes :

Gène → / Population ↓	a_1	a_2	a_3	a_4
I	2	3	75	20
II	1	49	20	30
III	40	30	3	27
IV	27	30	40	3

Le problème est de décider quelles sont les populations les plus semblables, quelles sont les plus éloignées ; un raisonnement direct ne permet guère de conclure : I ressemble à II pour les gènes a_1 et a_4 mais en diffère pour a_2 et a_3, III ressemble à IV pour a_1 et a_2 mais en diffère pour a_3 et a_4, ... Pour progresser, il nous faut calculer une distance, c'est-à-dire un nombre d'autant plus grand que les populations sont en moyenne plus dissemblables. Nous avons vu que de nombreuses formules sont disponibles, qui peuvent aboutir à des résultats fort différents ; de nombreux généticiens de populations, notamment les Anglo-Saxons, utilisent dans un tel cas la distance dite de l'« arc cosinus » ; sans entrer dans des détails techniques de peu d'intérêt ici, indiquons que le résultat, dans notre exemple, est le suivant :

d (I–II) = 1	d (I–III) = 1,71	d (I–IV) = 0,86
d (II–III) = 1,05	d (II–IV) = 0,98	d (III–IV) = 0,76

la distance entre I et II ayant été arbitrairement prise comme unité. Il est pratique de représenter ces résultats par un graphique où les populations sont représentées par des points tels que les distances entre ces points soient aussi semblables que possible aux distances entre populations. On obtient ici 4 points tels que ceux de la figure 9.

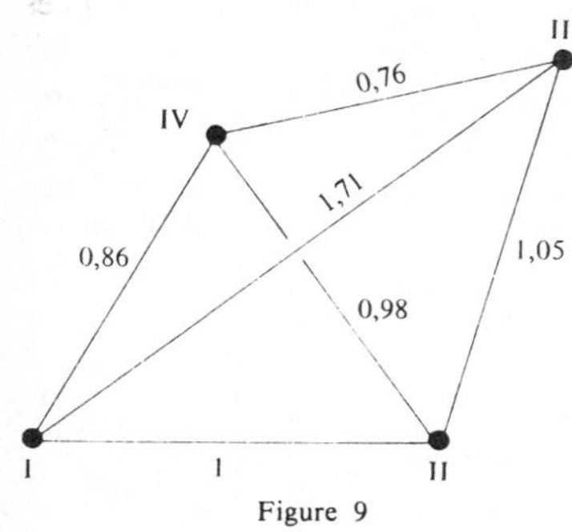

Figure 9

Les données disponibles pour de nombreuses populations et portant sur de multiples systèmes sanguins permettent ainsi de calculer un ensemble de distances et de dresser des cartes génétiques qui, parfois, réservent quelques surprises, tant les distances génétiques sont différentes des distances géographiques.

Citons comme bon exemple de telles études, celle menée par Ph. Lefevre-Witier [51] sur des populations d'Afrique du Nord et d'Afrique occidentale : il a isolé 26 « populations » entre lesquelles il a comparé les fréquences des divers gènes appartenant à 5 systèmes sanguins. Les 325 distances entre ces populations prises deux à deux ont permis de dresser une carte qui est reproduite par la figure 10. On constate que les Touareg Kel Kummer du Mali, les R'Gueibat d'Algérie et l'échantillon de Français des Pyrénées-Orientales pris comme « témoins » sont très proches ; à l'autre extrémité du graphique se regroupent les Gagou de Côte-d'Ivoire et les « Iklan », descendants des esclaves

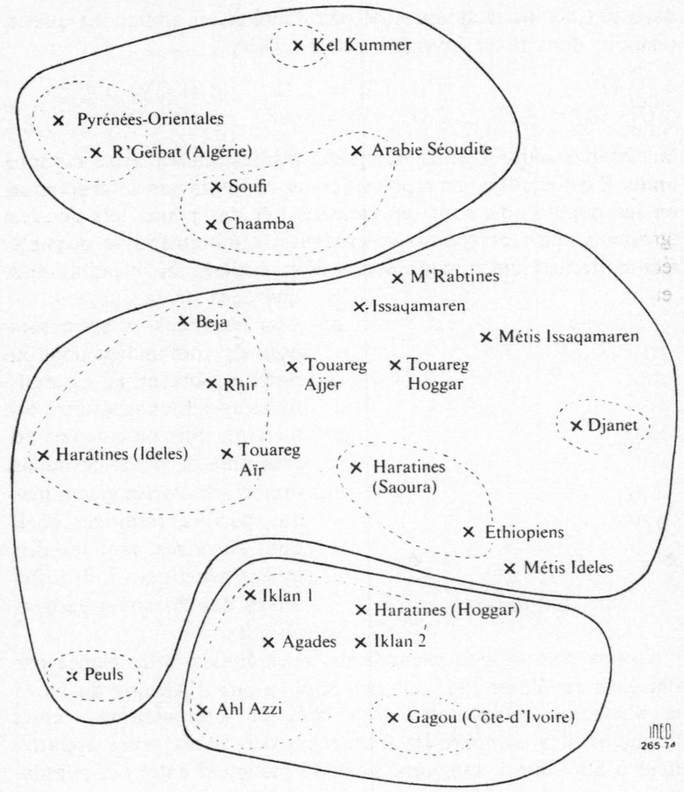

Figure 10

déportés autrefois du golfe du Bénin et qui vivent encore dans les tribus touareg ; entre ces deux groupes extrêmes se situent diverses tribus sahariennes, les Peuls et un groupe éthiopien.

Une telle carte est très parlante, fort utile pour la recherche, mais le danger est grand de s'illusionner sur sa signification.

Notons tout d'abord que les diverses populations ne sont connues qu'au travers d'un échantillon souvent très limité de sujets ; pour les petits groupes, comme les Touareg Kel Kummer ou les Iklan, une bonne représentation de l'ensemble est assurée, mais elle ne l'est certainement pas pour des populations aussi étendues et diverses que les Peuls ou les Éthiopiens. Les points du graphique ne représentent pas vraiment ces populations mais tels échantillons de celles-ci ; d'autres échantillons pourraient se situer en de tout autres zones de notre carte.

De même un graphique très différent aurait pu être obtenu si des données concernant d'autres systèmes sanguins avaient été utilisées. Nous avons reproché au caractère « couleur de la peau » de ne concerner que quelques gènes, de n'être par conséquent pas représentatif ; ne tombons pas dans le même piège avec les données hématologiques. Les écarts possibles selon le choix des systèmes retenus sont bien illustrés par la comparaison des trois systèmes les plus riches d'information : Rhésus, Gm et HL-A.

Des systèmes génétiques très polymorphes : Rhésus, Gm, HL-A

Pour certains systèmes les recherches, pourtant nombreuses et conduites sur tous les points du globe, n'ont permis de découvrir qu'un petit nombre de gènes différents : pour le système Duffy découvert en 1950 on ne connaît que 3 gènes ; pour d'autres au contraire la liste s'est rapidement allongée et semble loin d'être close ; l'on dit qu'ils sont très « polymorphes ».

Tel est le cas du système Rhésus : les caractères « plus » et « moins », que chacun connaît sont vite apparus comme un aspect particulier d'un ensemble si complexe que la polémique dure encore au sujet de la meilleure explication génétique des faits observés. Retenons que plus de 20 gènes distincts ont été jusqu'à présent répertoriés.

Le système Gm découvert en 1956 est étudié dans de nombreux laboratoires, ainsi celui de Claude Ropartz à Rouen [73]. Il n'est pas caractéristique des globules rouges, mais de protéines du sérum, les immunoglobulines, dont le rôle est de reconnaître les substances « étrangères » et de les neutraliser. Certaines de ces protéines, les IgG, sont dotées de structures variables : l'étude de leur transmission dans les familles a permis de définir 12 gènes distincts (de A à L) ; cette liste est évidemment provisoire.

Quant au système HL-A, des moyens puissants ont été accordés à son étude en raison de son rôle dans les phénomènes de rejet de greffe. Depuis 1958 de nombreuses équipes, notamment celle de Jean Dausset à l'hôpital Saint-Louis [21], ont établi une collaboration internationale efficace qui a permis de préciser le mécanisme génétique sous-jacent : on admet actuellement que ce système est gouverné par 4 paires de gènes. Ces gènes sont situés en des emplacements très proches sur le chromosome nº 6 ; le nombre de gènes reconnus est de 20 pour le premier site, 30 pour le second, 6 pour le troisième, 11 pour le quatrième ; ces nombres sont chaque année plus élevés.

La remarquable richesse de ces systèmes en fait des outils puissants lorsqu'il s'agit de comparer des populations. Mais cette richesse même rend leur utilisation très lourde : pour connaître les fréquences des gènes Duffy dans une population définie, un échantillon relativement limité peut suffire ; mais un effectif élevé est nécessaire si l'on veut connaître avec une bonne précision les fréquences des divers gènes Gm ou HL-A, dont certains peuvent être très rares. Pour pouvoir admettre, sans un risque d'erreur trop grand, que tel gène est absent, ce qui est une information capitale, il faut avoir effectué des prélèvements sur une large fraction du groupe.

Sans entrer dans les détails, notons seulement ici, à la suite d'A. Langaney [49], que les informations que nous apportent ces trois systèmes sur le peuplement de la terre et la différenciation des populations sont largement contradictoires :

– le gène r du système Rhésus est très rare en Océanie et Extrême-Orient, fréquent en Afrique, en Inde, au Moyen-Orient et surtout en Europe (il dépasse 50 % chez les Basques et les Bédouins du Sinaï) ;

– le gène R_0, qui semble dû à une recombinaison génétique assez tardive dans l'évolution humaine, n'a de fréquence élevée qu'en Afrique noire.

En se basant sur ce seul système, l'« arbre » des trois grands groupes aurait la forme :

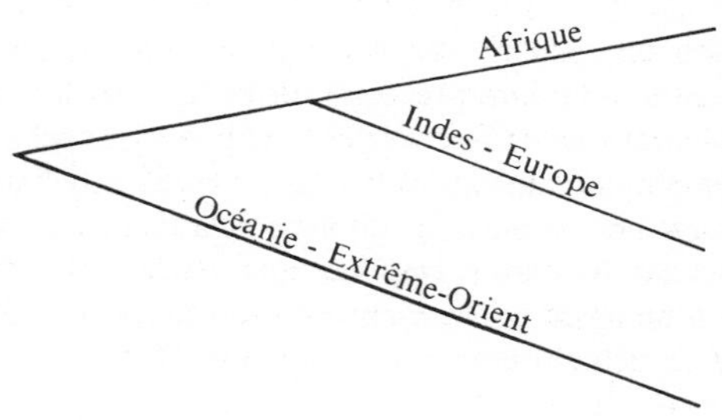

Si l'on se base sur le système Gm, le résultat est tout autre :

– le gène A, le plus fréquent en Europe, est largement répandu en Asie et dans tout le Pacifique ; il est inconnu en Afrique noire ;

– les gènes G et H communs en Afrique noire sont pratiquement absents dans le reste du monde ;

— les fréquences des divers gènes sont très différentes en Extrême-Orient et dans la zone Inde-Iran ;

ce qui suggère un arbre tel que

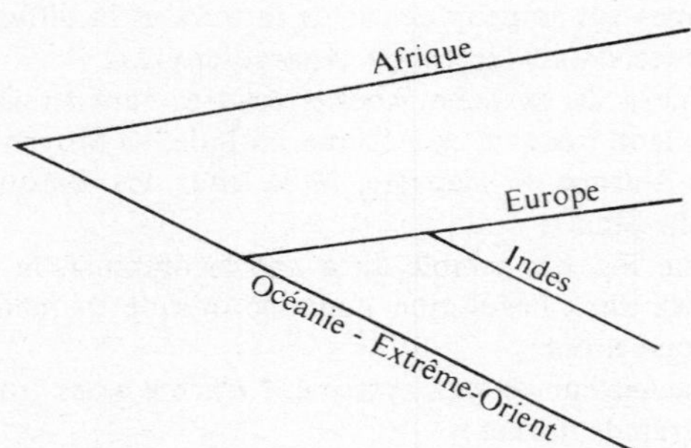

La richesse du système HL-A est si grande que les données obtenues sont d'une interprétation difficile, car le propre de chaque population est d'être extrêmement polymorphe ; aucune n'a un profil simple ; tout au plus peut-on noter que l'absence de certains gènes fait apparaître comme relativement voisins les Européens et les Africains, opposés aux Extrême-Orientaux, ce qui conduit à un arbre plus proche de celui fourni par le système Rhésus que de celui fourni par le système Gm.

Variété des individus. Variété des populations

Le lecteur a nécessairement l'impression que l'accumulation de données nouvelles de plus en plus précises, leur traitement par des procédés de plus en plus complexes n'aboutissent qu'à rendre plus difficile le classement des diverses populations composant notre espèce. La vision si claire des géographies de notre enfance, les Blancs, les Jaunes, les Noirs, est maintenant brouillée ; aucune ligne directrice ne se dégage plus. La recherche scientifique se serait-elle fourvoyée ?

Le rôle de la science n'est pas de fournir infailliblement des réponses claires à toutes les interrogations. A certaines questions il faut ne pas répondre ; donner une réponse même partielle ou imprécise à une question absurde c'est participer à une mystification, cautionner un abus de confiance.

Si le classement des hommes en groupes plus ou moins homogènes, que l'on pourrait appeler « races », avait un sens biologique réel, le rôle de la biologie serait d'établir ce classement au mieux ; mais ce classement n'a pas de sens. Pour qu'il en eût un, il aurait fallu que l'histoire de Humanité ait été conforme à l'arbre de la figure 6 : une série de fissions successives. En fait, les groupes humains actuels n'ont jamais été totalement séparés durant des périodes assez longues pour qu'une différenciation génétique significative ait pu se produire. Des hommes sont passés d'un groupe à l'autre et nous avons vu qu'un courant migratoire même de très faible intensité peut avoir des conséquences importantes.

Nous pouvons, pour des caractères bien définis, comparer des populations ; nous pouvons analyser les écarts constatés ; nous pouvons dans certaines régions étudier la micro-différenciation de populations dispersées ; mais ces travaux ne peuvent aboutir à un classement en « races » ayant une existence objective. La meilleure preuve de l'inanité des tentatives de définition des races a sans doute été donnée par les chercheurs américains R. Lewontin [54] et M. Nei [66] ; ils ont cherché à analyser la diversité globale de l'ensemble des hommes en une part due aux écarts entre les grands groupes classiquement admis (blancs, jaunes, noirs), une part due aux écarts entre nations appartenant à un même groupe, enfin en une part due aux différences entre individus d'une même nation : ces parts sont respectivement de 7 %, 8 % et 85 %. Autrement dit, on ne diminue en moyenne que de 15 % la diversité constatée entre les hommes si, au lieu de considérer l'ensemble de l'Humanité, on ne considère que les hommes appartenant à une même nation.

Ce résultat vaut d'être médité : ce n'est pas entre les groupes mais entre les individus que nous constatons la plus grande diversité. Bien sûr, mon ami Lampa, paysan bedick du Sénégal oriental, est très noir et je suis à peu près blanc, mais certains de ses systèmes sanguins sont peut-être plus proches des miens que ceux de mon voisin de palier, M. Dupont. Selon le critère de comparaison que je retiendrai, la distance entre Lampa et moi sera plus grande ou plus petite que la distance entre M. Dupont et moi. Le résultat mis en évidence par Lewontin et Nei signifie que la distance biologique qui me sépare de M. Dupont est, en moyenne, inférieure d'un cinquième seulement aux distances qui me séparent de Lampa, de tel collègue généticien japonais ou hindou, ou de tel chasseur-cueilleur du désert d'Australie. Cette petite différence mérite-t-elle toute l'attention que, depuis des siècles, nous lui accordons ?

5. Évolution et adaptation

L'unité du monde vivant, la parenté de toutes les espèces progressivement différenciées au cours du lent processus de l'évolution sont devenues des évidences qui ne sont plus guère controversées, sinon par quelques groupes irréductibles qui lui opposent non des arguments scientifiques mais des affirmations dogmatiques. Cette espèce humaine qui nous intéresse tant, d'où vient-elle ? Avant d'essayer de reconstituer son passé, rappelons dans quel univers elle se trouve.

L'Univers. L'Homme

Selon les astronomes l'Univers accessible à notre observation (et nos moyens d'observation ont maintenant un pouvoir infiniment supérieur à nos sens) occupe un vaste volume dont le diamètre dépasse dix milliards d'années-lumière [1]. Dans cet espace la matière est répartie de façon très peu uniforme ; elle s'est agglomérée en « grumeaux », les galaxies, dont le nombre est sans doute de l'ordre de la centaine de milliards.

Notre propre galaxie n'est autre que la Voie lactée ; elle tient

1. Une année-lumière représentant le chemin parcouru par la lumière en une année, soit environ dix mille milliards de kilomètres.

une grande place sur notre ciel, non parce qu'elle est plus grande que les autres mais parce que nous la voyons de l'intérieur, alors que la galaxie étrangère la plus proche est à 200 000 années-lumière. Gigantesque disque renflé en son centre, la Voie lactée comprend une centaine de milliards d'étoiles.

Notre étoile, le soleil, est une de celles-ci ; elle ne présente rien qui la distingue de cet immense troupeau, sinon qu'elle est « notre » étoile ; elle est située relativement loin du centre du disque galactique, à quelque 30 000 années-lumière, les deux tiers du rayons de ce disque.

Notre globe, la terre, est une des neuf grosses planètes qui accompagnent le soleil ; troisième par ordre de distance, elle n'en est qu'à 150 millions de kilomètres.

Tout cet univers est en mouvement : les galaxies s'éloignent les unes des autres comme si elles avaient été projetées par une explosion initiale, le fameux « Big Bang » qui aurait créé notre univers ; elles tournent sur elles-mêmes, entraînant les étoiles dans une ronde vertigineuse ; les cortèges de planètes participent à cet enchevêtrement de rotations en tournant autour des étoiles, tandis que chaque planète tourne sur elle-même et sert de pivot à ses propres satellites. Notre terre fait un tour sur son axe en un jour, autour du soleil en une année, autour du centre de la galaxie en 250 millions d'années. Chacun d'entre nous tourne autour du centre de la terre à la vitesse de 1 600 kilomètres à l'heure, autour du soleil à la vitesse de 50 000 kilomètres à l'heure, autour du centre de la Voie lactée à la vitesse de un million de kilomètres à l'heure.

Ce mouvement n'est sans doute pas « perpétuel », il a eu un début, il aura une fin ; selon la théorie du « Big Bang », l'Univers que nous connaissons serait vieux de quelque 13 milliards d'années ; l'âge de notre système solaire peut être évalué, avec une meilleure précision, à quelque 5 milliards d'années.

Cinq milliards de fois notre terre a fait le tour du soleil ; mais, à chaque tour, des événements nouveaux se sont produits : autour de cet infime agglomérat de matière, des gaz, projetés par les éruptions volcaniques, ont peu à peu formé une atmosphère ; la vapeur d'eau s'est condensée et a créé les océans ; grâce à l'énergie fournie par les rayons ultraviolets de la lumière solaire des molécules simples se sont associées pour réaliser des molécules de plus en plus complexes, douées de possibilités de plus en plus larges, jusqu'à l'apparition, il y a quelque 3,5 milliards d'années, de molécules possédant l'étrange et fabuleux pouvoir de fabriquer d'autres molécules, et de se reproduire elles-mêmes : la « vie » commençait.

Le « monde vivant » n'est pas un monde fondamentalement différent du monde inanimé ; il est fait de la même matière, soumis aux mêmes forces, aux mêmes contraintes. C'est la dynamique même de la matière inanimée qui a provoqué l'apparition, non pas brutale, non pas éclatante comme un miracle, mais progressive, laborieuse, hésitante, de ce que nous appelons la « vie ».

On a cru longtemps pouvoir distinguer ce « monde vivant » par son pouvoir de défier le fameux « deuxième principe de la thermodynamique » ; ce principe énoncé par Carnot au début du XIXe siècle constate la dégradation nécessaire de toute forme d'énergie ; valable en toute rigueur pour un système fini, il permet, au prix d'une extrapolation hasardeuse, de prévoir l'affadissement général de l'Univers, condamné à s'effondrer dans une grisaille où toute structure aura disparu ; les physiciens caractérisent ce processus de dépérissement, de dégradation générale, en disant que l'« entropie » est constamment croissante. La matière vivante apparaît au contraire capable de maintenir sa structure et même d'évoluer vers toujours plus de complexité, d'efficacité ; son « entropie » peut être décroissante. Mais, depuis une dizaine d'années, cette opposition semble moins tranchée : les travaux de certains thermodynamiciens, notamment de I. Prigogine [69], ont montré que le deuxième principe de Carnot ne donne qu'une image simpliste d'une propriété beaucoup plus nuancée de la matière : dès que les systèmes matériels sont suffisamment complexes, ils se structurent spontanément de façon à minimiser la production d'entropie, comportement qui est justement celui de la matière vivante ; à l'opposition « vivant/non-vivant » se substitue la continuité du « plus ou moins complexe » ; l'unité de l'ensemble tend à se rétablir.

Notons que cette unité retrouvée n'est pas obtenue au prix d'un appauvrissement de notre représentation de la vie, mais grâce à une meilleure prise de conscience de la complexité des « lois » de la matière. Certes le biologiste s'efforce toujours de décrire le fonctionnement des organismes vivants au moyen des concepts que lui a fournis le physicien, mais, en retour, le physicien se met à l'écoute du biologiste pour mieux comprendre certains comportements surprenants de la matière.

Cette unité profonde ne nie pas la diversité fabuleuse des réalisations auxquelles a abouti l'exubérance de ce monde que nous pouvons qualifier soit de « vivant », soit d' « hyper-complexe ».

Le nombre d'espèces répertoriées sur notre terre est de l'ordre de un million et demi ; la diversité de leurs apparences et de leurs fonctions donne l'impression d'une hétérogénéité fondamentale ; quoi de commun entre une algue et une mouette, entre une méduse et moi, un Homme ? L'évidence d'une parenté est pourtant aveuglante, lorsque l'on quitte les apparences externes pour les structures profondes, tant sont semblables les processus par lesquels ces organismes assurent leur développement et leur survie, individuels ou collectifs : toutes leurs cellules réalisent des transferts d'énergie au moyen des mêmes composés chimiques, notamment l'adénosine tri-phosphate, les membranes des cellules ont toutes la même structure, le stockage de l'énergie est assuré par les mêmes produits, graisses ou carbohydrates, les réactions nécessaires sont catalysées par des protéines de structures très semblables, et surtout la fabrication des diverses protéines à partir des informations contenues dans le patrimoine génétique est assurée par un mécanisme reposant sur un « code » universel, valable pour tous. Il paraît hautement improbable que ces traits aient pu se retrouver dans tous les organismes vivants, si ceux-ci n'avaient une origine commune. Avec une certitude à peu près absolue, nous pouvons affirmer l'unité du monde vivant.

L'évolution darwinienne

En 3 milliards d'années, la capacité de différenciation manifestée par les êtres vivants a conduit de quelques molécules douées du pouvoir d'autoreproduction, premiers balbutiements de la vie, à une prolifération d'organismes dotés de pouvoirs multiples, tous merveilleux, certains inquiétants ; ainsi, chez l'Homme, le pouvoir de prendre conscience de ses propres dons, de les multiplier et de se donner à lui-même le pouvoir de détruire toute vie. Le chemin parcouru peut être rétrospectivement reconstitué dans ses grandes lignes, la chronique des événements peut être décrite avec une précision qui s'améliore à mesure des progrès de notre connaissance ; mais décrire n'est pas suffisant, il nous faut comprendre ; il nous faut imaginer le processus qui a abouti à cette chronique.

Des théories transformistes ont été ébauchées dès le XVIIIe siècle par Maupertuis ou Buffon, développées au début du XIXe par Lamarck, mais ce n'est qu'après la publication de *l'Origine des espèces*, en 1859, par Charles Darwin, que ces théories furent largement débattues. L'apport de Darwin n'est nullement l'idée que les espèces se transforment et descendent les unes des autres ; cette thèse, même si elle n'avait pas atteint le grand public, avait été proposée par bien d'autres chercheurs. Son originalité était d'expliquer cette évolution par un mécanisme précis, la « sélection naturelle » ; le darwinisme ne doit donc pas être confondu, comme cela est encore fait par beaucoup, avec le transformisme. Le darwinisme est l'explication de la transformation des espèces par la « lutte pour la vie » qui élimine les moins aptes et conserve les

« meilleurs ». L'essentiel de cette théorie repose sur deux constatations :

— les éleveurs parviennent à modifier les espèces animales ; pour cela ils sélectionnent les reproducteurs en fonction de critères, qu'ils choisissent souvent pour des raisons économiques (rendement en lait des vaches...) ou esthétiques (pelage des chiens...). La « sélection artificielle » s'est révélée très efficace ; rares sont les caractères que l'on ne puisse ainsi modifier ; dans certains cas la transformation est relativement rapide ;

— dans presque toutes les populations naissent plus d'individus qu'il n'en peut survivre compte tenu de la limitation des ressources ; ceux qui parviennent à l'âge procréateur ont été choisis par une « sélection naturelle » qui a éliminé les plus faibles.

La première constatation prouve que les caractères sur lesquels agit la sélection artificielle sont transmis de parents à enfants ; en effet, les écarts concernant les caractéristiques sur lesquelles se base le choix des reproducteurs se retrouvent, au moins partiellement, chez les descendants : une vache donnant beaucoup de lait a des descendants qui, dans l'ensemble, ont un rendement supérieur à la moyenne.

La seconde constatation montre que certains caractères (force physique, résistance au milieu...) ont joué un rôle dans la capacité à survivre et à procréer des individus, ils ont conditionné sa « valeur sélective » ; ces caractères sont sélectionnés naturellement ; ils doivent donc se répandre progressivement dans la population ; celle-ci, de génération en génération, se transforme, elle évolue.

Le choix même de l'expression « sélection naturelle » montre que Darwin a voulu insister sur un fait qui lui semblait fondamental : l'évolution utilise le même matériau que les éleveurs, ce matériau est constitué par les différences entre les individus. C'est dans la mesure où un caractère présente de la variabilité que l'on peut espérer le modifier par des croisements dirigés, c'est dans cette mesure également qu'il évoluera spontanément au fil des générations.

Dans le processus naturel, l'action délibérée de l'éleveur qui choisit les reproducteurs est remplacée par la compétition entre les individus pour accéder aux ressources nécessaires à leur survie et pour procréer.

Ainsi présentée, la théorie darwinienne semble avoir la force de l'évidence ; elle soulève cependant bien des problèmes :

– La variabilité des individus, sans laquelle aucune évolution ne pourrait s'instaurer, est systématiquement réduite par l'action même de la sélection naturelle : celle-ci favorise les individus qui sont les plus voisins d'un certain type idéal correspondant aux conditions imposées par le milieu ; peu à peu leurs descendants se rapprochent de ce type ; la population devient progressivement homogène, ce qui enlève tout point d'appui à la sélection. D'autre part, la théorie des gemmules, admise par Darwin pour expliquer la transmission des caractères de parents à enfants, entraîne une réduction de cette variabilité à chaque génération puisque l'enfant représente la moyenne de ses parents. L'observation nous montre, tout au contraire, que la dispersion de la plupart des caractères est extrêmement large ; comment cette dispersion est-elle maintenue ? Comment surtout a-t-elle pu s'instaurer ?

– Lorsque l'on parle de la sélection du plus « apte », il faut donner à cette « aptitude » une signification bien précise, à vrai dire assez étroite : il s'agit de l'aptitude à survivre et à procréer. Un caractère n'est sélectionné que dans la mesure où il intervient directement sur cette aptitude. L'expression « valeur sélective » que nous avons introduite ne doit pas faire illusion ; en particulier, le mot « valeur », avec toutes les connotations qu'il comporte, risque de fourvoyer : nous pouvons affirmer que les meilleurs gagnent la bataille de la sélection, à condition de définir comme meilleurs ceux qui sont les mieux armés pour gagner. La théorie darwinienne n'est plus alors une évidence, mais une tautologie.

– La compétition, la lutte pour la vie ne s'instaurent pas seulement entre individus, mais aussi entre populations, de la même espèce ou d'espèces différentes, vivant dans un même milieu. Tel caractère qui défavorise un individu dans sa lutte contre ses semblables peut favoriser une population en concurrence avec d'autres populations. Ce cas est, par exemple, celui des « gènes de l'altruisme » qui semblent fréquents dans certaines sociétés animales ; ces gènes sont défavorables à leurs possesseurs car ils les incitent à sacrifier leur vie au profit du bien commun ; ils sont favorables à la communauté car ils contribuent à lui fournir des défenseurs désintéressés. Selon les intensités des compétitions qui s'instaurent à ces deux niveaux, de tels gènes se répandront ou disparaîtront sans que leurs destins puissent être expliqués simplement par leurs valeurs sélectives.

— Mais surtout la grande faiblesse de la théorie darwinienne, faiblesse dont son auteur était parfaitement conscient, est l'absence d'une explication correcte de la transmission des caractères. Cherchant à expliquer le mécanisme de l'évolution d'un groupe, Darwin se heurte à l'impossibilité de comprendre le processus élémentaire, la fabrication d'un individu. Il ne présentait, en 1868, la théorie des gemmules que comme une « hypothèse provisoire », afin de combler une lacune. Nous avons vu que trois ans plus tôt, en 1865, Mendel avait imaginé le modèle génétique dont nous savons maintenant qu'il est conforme à la réalité ; mais ses idées n'avaient trouvé aucune audience, malgré les quelques efforts de diffusion qu'il avait tentés auprès de certains scientifiques ; elles représentaient une novation trop fondamentale pour pouvoir être acceptées. Faute de les avoir connues, Darwin ne pouvait qu'admettre, comme son prédécesseur Lamarck, l'hérédité des caractères acquis et baser sa théorie sur une hypothèse fausse, comme le marque bien la phrase où il définit la sélection naturelle :

> [...] Pouvons-nous douter que les individus possédant un avantage quelconque sur les autres auraient une meilleure chance de survivre et de procréer leur propre type [8] ?

Nous savons maintenant, nous avons insisté sur ce point au chapitre I, que le mécanisme de la reproduction sexuée ne permet pas à un individu de « procréer son propre type » ; il ne peut que transmettre à son descendant une moitié de la collection des gènes qui définissent son « propre type », ce qui est un mécanisme totalement différent.

Lorsque, en 1900, la découverte de Mendel a été enfin comprise et largement acceptée, les biologistes ne surent pas voir qu'elle comblait une lacune de la théorie de Darwin ; elle apparut au contraire, comme étant en contradiction radicale avec celle-ci ; l'opposition semblait si totale que des polémiques d'une rare violence se développèrent, notamment en Grande-Bretagne. Une analyse plus fine montra peu à peu que cette opposition cachait en fait une complémentarité ; le mendélisme ne détruisait pas la théorie de Darwin, il permettait, au contraire, de lui fournir des bases solides et de la développer ; les artisans de cette réconciliation furent principalement des mathématiciens qui bâtirent une synthèse remarquablement cohérente : le néo-darwinisme.

Une synthèse convaincante : le néo-darwinisme

Au début de ce siècle le divorce était donc total entre l'évolutionnisme tel qu'il avait été développé par les successeurs de Darwin, et la génétique telle que commençaient à la préciser les biologistes après avoir enfin redécouvert les travaux de Mendel. L'évidence de la transformation progressive des populations et des espèces, de leur adaptation, semblait en opposition avec la stabilité des gènes qui constituent les « atomes », insécables, quasi inaltérables, du patrimoine héréditaire. Ceux qui acceptaient le modèle mendélien apparaissaient comme des antidarwiniens, donc comme de dangereux iconoclastes. Il fallut de nombreuses années pour constater que les données d'observations sur lesquelles se basait le darwinisme, et les modèles explicatifs que développaient les généticiens, pouvaient être rassemblés en un ensemble cohérent. Élaboré à grand renfort de mathématique, cet ensemble, le « néo-darwinisme », eut tout d'abord beaucoup de difficultés à se faire reconnaître (rappelons qu'une des principales revues anglaises de biologie, *Biometrika*, refusa jusqu'en 1937 tout article mendélien [80]) ; peu à peu, il obtint, cependant, à son tour, le statut de théorie officielle, dont la moindre critique paraissait hérétique.

Nous avons vu que, dès 1908, un mathématicien et un biologiste mettaient en évidence un comportement assez remarquable des structures génétiques, comportement exprimé par la « loi de Hardy-Weinberg ». Mais bien d'autres résultats théoriques peuvent être dégagés, qui ont nécessité la définition précise de certains concepts.

La difficulté essentielle, en ce domaine où les objets que l'on étudie sont le plus souvent inaccessibles à l'observation, concerne, en effet, les concepts ; aucun raisonnement sérieux ne peut être conduit, aucun résultat valable ne peut être obtenu, si l'on n'a pas pris soin de préciser avec rigueur le sens des mots utilisés. Cette difficulté peut être illustrée par le cas du concept central, celui d'évolution. Lorsque nous disons qu'une population évolue, que voulons-nous signifier ? Les individus qui composent cette population ne peuvent « évoluer » ; sauf mutation rarissime, le patrimoine génétique de chacun reste le même tout au long de son existence : de sa conception à sa mort ce patrimoine est fixé. Du père et de la mère, au fils et à la fille, aucune « évolution » ne se produit, puisqu'il y a création d'êtres entièrement nouveaux ; nous avons insisté sur ce point au chapitre I ; du fait même de la reproduction sexuée, la création d'un être neuf, définitivement unique, n'est plus un événement extraordinaire, quasi miraculeux, mais une nécessité, une routine.

Finalement, « ce » qui évolue n'est ni l'individu, ni la collection d'individus qui constituent une population mais l'ensemble des gènes qu'ils portent. D'une génération à la suivante cet ensemble se transforme sous l'influence de multiples événements :

– Les mutations apportent des gènes nouveaux ; certes ce sont des événements très rares, mais, pour une espèce considérée dans son ensemble, ils sont la seule source de véritable novation. Cette mutation peut être ponctuelle, c'est-à-dire ne concerner qu'un caractère élémentaire, un gène, elle peut aussi entraîner le remaniement de toute une zone chromosomique, par suite de la cassure de certains chromosomes qui se reconstituent dans un ordre différent de l'ordre antérieur ; elle peut même modifier le nombre de chromosomes lorsque par exemple, deux d'entre eux fusionnent en un seul. Tous ces accidents survenant dans les cellules sexuelles de tel ou tel individu font que le patrimoine génétique transmis à ses descendants est riche d'une caractéristique nouvelle. La variabilité de l'espèce en est accrue.

– Lorsque nous considérons non plus une espèce dans son ensemble, mais une population particulière à l'intérieur d'une espèce, la novation peut provenir de l'entrée dans le groupe d'un gène, jusque-là inconnu, apporté par un immigrant provenant d'une autre population de la même espèce. Ces migrations, particulièrement intenses chez l'Homme, jouent un rôle important dans le maintien de la variabilité de chaque groupe.

– Les gènes ainsi introduits, soit par mutation, soit par migration, peuvent avoir une influence, bénéfique ou maléfique, sur la capacité des individus qui en sont dotés de survivre et de procréer. Cette influence dépend, bien sûr, du « milieu », c'est-à-dire des conditions dans lesquelles vit le groupe, aussi bien que des autres gènes possédés par l'individu.

– La limitation de l'effectif du groupe entraîne, nous l'avons montré au chapitre II, une variation aléatoire des fréquences des gènes, le hasard jouant un rôle d'autant plus grand que cet effectif est plus petit ; ce phénomène a reçu le nom de « dérive génétique ».

– Enfin, la façon dont les couples procréateurs se constituent peut influencer le processus de transmission des gènes : si les personnes dotées d'un gène a n'épousent jamais de personnes dotées d'un gène b, les hétérozygotes ab disparaissent.

L'objectif du « néo-darwinisme » est de passer en revue ces divers facteurs, de définir leur influence sur le destin d'un gène et de préciser le rythme de la transformation des structures génétiques. Naturellement, un processus aussi complexe ne peut être étudié qu'en ramenant la réalité à des modèles plus ou moins fidèles, assez simples pour pouvoir être traités mathématiquement.

La simplification la plus efficace consiste à étudier un caractère élémentaire en l'isolant de l'ensemble des autres caractères ; supposons qu'il s'agisse du système sanguin Rhésus ; nous avons vu au chapitre IV que ce système, pour lequel on n'avait initialement identifié que 2 gènes correspondant aux caractères « plus » et « moins », en comporte une vingtaine actuellement reconnus ; désignons-les par R_1 ... R_{20}. Une population est caractérisée, en une génération donnée, par les fréquences p_1 ... p_{20} de ces divers gènes ; son évolution entre cette génération et la suivante est définie par les modifications de ces fréquences devenues p'_1 ... p'_{20} sous l'effet des divers facteurs que nous avons rappelés. La fréquence p_1, par exemple, diminuera si plusieurs individus portant le gène R_1 meurent avant de procréer ; cet événement peut, bien sûr, être indépendant de la présence du gène R_1 dans leur patrimoine biologique, avoir été provoqué par un accident ou par des gènes concernant d'autres caractères. Cependant, dans une population assez nombreuse, on peut admettre que le gène R_1 se trouvera associé tantôt à des gènes favorables, tantôt à des gènes défavorables et que ces influences « étrangères » au caractère étudié se compenseront. Définissant la valeur sélective des individus comme leur capacité à transmettre leur patrimoine biologique, on peut alors calculer une moyenne des valeurs sélectives de tous ceux qui sont dotés du gène R_1, quels que soient les gènes associés, et définir ainsi une valeur sélective de ce gène. Lorsque cette valeur est inférieure à la moyenne, la fréquence p_1 décroît à chaque génération, lorsqu'elle lui est supérieure, cette fréquence augmente. Nous n'entrerons pas ici dans le détail des développements mathématiques qui ont permis de préciser les rapports entre les valeurs sélectives ainsi définies pour les gènes et les modifications des fréquences [40]. Grâce aux résultats dégagés par ces analyses, il est possible de donner une description quantitative de l'évolution d'un groupe, de préciser à quel rythme un gène nouveau, R_{20} par exemple, apparu par mutation ou par immigration, peut éventuellement se répandre, supplanter peu à peu les autres gènes et, lorsque sa fréquence p_{20} atteint l'unité, devenir le gène unique du système Rhésus dans la population.

Nous nous contenterons d'insister sur un résultat global, important moins par sa formulation que par les conséquences que l'on peut en tirer et qui ont, un temps, redonné vigueur à une certaine conception des rapports entre la nature et l'Homme, et entre les hommes, le « darwinisme social ».

Ce résultat a été obtenu en 1930 par Sir Ronald Fisher, fondateur du « néo-darwinisme » avec son campatriote J. B. S. Haldane et l'Américain Sewall Wright. Fisher [26] lui a donné le titre assez pompeux de « théorème fondamental de la sélection naturelle », tant il lui semblait que le darwinisme parvenait ainsi à la formulation mathématique sans laquelle les sciences ne paraissent pas « exactes ».

Ce théorème affirme que « l'accroissement de la valeur sélective moyenne d'une population est proportionnel à la variance des valeurs sélectives des gènes qui composent le patrimoine de cette population ».

Ne nous laissons pas arrêter par une formulation à vrai dire peu compréhensible lorsqu'elle est ainsi présentée et essayons de rendre sensible sa signification.

(Rappelons tout d'abord que la « variance » d'un ensemble de mesures est définie comme la moyenne des carrés des écarts entre ces mesures et leur moyenne ; elle caractérise la dispersion de l'ensemble; nombre positif par définition, elle est d'autant plus grande que les mesures sont plus dispersées.)

L'objectif biologique d'un groupe d'êtres vivants est de lutter contre l'érosion que lui fait subir l'écoulement du temps, de survivre, de s'adapter au mieux aux conditions que le monde extérieur lui impose ; le critère d'une bonne adaptation peut être trouvé dans le fait que les valeurs sélectives des individus qui composent ce groupe sont élevées. Sous l'influence des divers facteurs qui modifient les fréquences des gènes, la moyenne de ces valeurs sélectives se transforme ; le théorème de Fisher nous montre que cette influence aboutit nécessairement à un accroissement de la valeur sélective moyenne et que cet accroissement est d'autant plus rapide que la variabilité des individus au sein de la population est plus grande.

Tout semble donc pour le mieux : la sélection naturelle ne peut qu'améliorer la situation ; le bien général est d'autant mieux servi qu'on la laisse librement opérer. On imagine aisément les développements sur l'excellence de l'ordre naturel des choses qui peuvent être fondés sur ce théorème.

Un prolongement abusif : le darwinisme social

L'extraordinaire retentissement des théories de Darwin ne tient certainement pas à la seule qualité scientifique de sa pensée : le jour même de sa mise en vente, la première édition de *l'Origine des espèces* était épuisée et l'éditeur dut en toute hâte en imprimer une seconde beaucoup plus importante. Une société ne fait un tel accueil à une théorie nouvelle que si cette théorie contribue, même sans l'avoir cherché, à résoudre certains de ses problèmes [1]. Souvenons-nous de l'usage que quelques théologiens ont fait de la découverte des « homuncules » dans le sperme, pour justifier le concept de péché originel.

Dans l'Angleterre industrialisée de la seconde moitié du

XIXe siècle, des fortunes s'édifient, grâce aux bénéfices tirés de mines ou d'usines où les ouvriers reçoivent des salaires à peine suffisants pour leur permettre de survivre; où, par économie, certains enfants qui travaillent dans les galeries de mines ne sont remontés au jour qu'une fois par semaine; dans cette société, cependant, la religion est maîtresse des âmes et constitue la référence suprême. Un certain malaise peut difficilement être évité. L'Angleterre participe, avec d'autres nations européennes, à l'aventure coloniale, si exaltante pour ceux qui la vivent; cette aventure aboutit à la mise en tutelle de peuples entiers, considérés comme inférieurs aux peuples de race blanche dont le succès apparaît définitif. Pour une société imprégnée d'une religion qui prêche l'amour du prochain, une attitude aussi dominatrice peut poser problème.

Voici qu'un scientifique affirme que le progrès du monde vivant est le résultat de la « lutte pour la vie »; l'amélioration de chaque espèce, le passage d'une espèce à une autre plus évoluée ne peuvent survenir que par l'élimination des moins aptes, et par la victoire de ceux qui ont reçu un meilleur patrimoine; il ne s'agit pas d'une règle imaginée par l'Homme, il s'agit d'une loi de la Nature; le bien général ne peut être servi qu'en observant cette loi. Certes, cette affirmation scientifique est fondée sur l'observation des animaux; elle concerne uniquement les caractéristiques biologiques liées à la survie et à la capacité de procréation; mais elle est comprise immédiatement comme la justification (et la justification la plus objective qui soit, celle de la Nature elle-même) d'un comportement de compétition. Puisque la lutte est nécessaire au progrès biologique des espèces, elle doit l'être au progrès de notre propre espèce, et le résultat de cette lutte, si brutal qu'il puisse paraître, doit être considéré comme un bienfait; au « jugement de Dieu » du Moyen Âge succède le jugement de la sélection naturelle. Si les Blancs l'emportent sur les Noirs, c'est qu'ils sont meilleurs; il est normal, il est bon pour l'espèce humaine que les premiers supplantent les seconds.

Il serait sans doute injuste d'imputer à Charles Darwin lui-même ces prolongements de sa théorie ; il semble bien cependant qu'il ait largement succombé à la tentation d'étendre le processus de la « lutte pour la vie » au domaine social ; Pierre Thuillier [85] a rassemblé un certain nombre de citations montrant combien Darwin était tenté par l'eugénisme tout en redoutant ses excès : « Il faut que l'homme continue à être soumis à une concurrence rigoureuse » ; il faut « faire disparaître toutes les lois et toutes les coutumes qui empêchent les plus capables de réussir ».

Il est important de bien prendre conscience de la place que de tels raisonnements occupent encore actuellement dans la mentalité collective ; c'est toujours au nom d'une prétendue vérité scientifique que le racisme peut se développer ; c'est au nom de cette « vérité » que l'on justifie les inégalités de traitement les plus choquantes. Il serait trop facile de ridiculiser ces prétentions à une caution scientifique en citant les élucubrations de tous ceux qui se sont référés à la science sans rien en connaître ; contentons-nous de quelques phrases d'un biologiste de grande réputation, prix Nobel de physiologie et de médecine :

> Il faudrait, pour la préservation de la race, être attentif à une élimination des êtres moralement inférieurs encore plus sévère qu'elle ne l'est aujourd'hui [...] Nous devons – et nous en avons le droit – nous fier aux meilleurs d'entre nous et les charger de faire la sélection qui déterminera la prospérité ou l'anéantissement de notre peuple [85].

Que ces phrases de Konrad Lorenz aient été écrites en Allemagne en 1940, alors que les camps d'extermination fonctionnaient déjà, constitue plutôt une circonstance aggravante. Efforçons-nous cependant de ne pas faire intervenir de morale préétablie et de ne juger que le contenu logique de ces propositions. Peut-on réellement fonder un « darwinisme social » ?

Pour répondre, il faut d'abord préciser le sens des mots ; ceux employés par Lorenz sont révélateurs : « êtres inférieurs », « les meilleurs d'entre nous » ; tout le raisonnement est basé sur la définition d'une hiérarchie au sein d'une population. Cette définition est certes réalisable, il suffit de choisir arbitrairement certains caractères quantitatifs ou qualitatifs (taille, quotient intellectuel, couleur de la peau, revenu annuel...), et une formule permettant de synthétiser ces divers critères en une mesure unique : celui qui obtient la meilleure note est par définition, le « meilleur ». Mais cette classification n'a d'intérêt pour « améliorer » le groupe que si l'on constate une certaine similitude des notes des enfants et de celles des parents, autrement dit, si cette note est un caractère héritable. Nous insisterons au chapitre suivant sur les difficultés que provoque ce concept d'« héritabilité » ; contentons-nous pour l'instant de cette évidence, éliminer les « êtres inférieurs » n'a d'intérêt à long terme que si leurs enfants avaient des chances d'être aussi inférieurs, et de l'être pour des raisons biologiques et non sociales. Or, nous n'en avons pas la moindre preuve.

Surtout ce raisonnement n'a rien à voir avec celui de Darwin qui, fondamentalement, prenait pour critère de la réussite dans la lutte pour la vie le nombre d'enfants procréés. La seule définition correcte de la valeur sélective, dont nous avons vu le rôle central dans le « néo-darwinisme », est fondée sur le nombre de gènes transmis par chaque individu à la génération suivante ; ce concept a un sens biologique clair, mais ne peut être transposé sans précaution à l'analyse de l'évolution de notre espèce : Léonard de Vinci, Beethoven ou Lénine, qui semblent n'avoir pas eu d'enfant, avaient des valeurs sélectives nulles ; au sens darwinien du mot, ils étaient des « êtres inférieurs » [52, p. 33].

Le développement d'un « darwinisme social » ne représente donc nullement, malgré le terme employé pour le désigner, un prolongement des constatations faites par Darwin au sujet de la sélection naturelle, qui règle l'évolution du monde vivant. Il s'agit d'une réflexion tout autre, tendue vers une attitude délibérée, volontariste, de sélection artificielle. Ce n'est que par un abus de langage flagrant (même si Darwin en personne s'y est laissé prendre) que l'on a pu présenter l'acceptation d'un ordre social ou politique impliquant inégalité, oppression et exploitation, comme une conséquence des mécanismes naturels. Si l'on veut fonder, sans hypocrisie, un « darwinisme social », il faut faire appel aux concepts et aux raisonnements qui permettent d'élaborer une technique d'amélioration de l'espèce ; il ne s'agit plus de l'ordre naturel des choses, mais de l'action possible de l'Homme pour le modifier ; nous verrons au chapitre suivant les difficultés rencontrées dans cette voie.

Une remise en cause radicale : le non-darwinisme

Nous avons énuméré quelques-unes des objections auxquelles se heurtait la théorie initiale de Darwin ; les compléments incorporés à cette théorie par le développement du « néo-darwinisme » ont permis d'écarter la plupart de ces objections ; la source de la variabilité est connue : les mutations fournissent à chaque génération de nouveaux gènes ; le mécanisme de transmission des caractères est élucidé : le modèle imaginé par Mendel, puis les découvertes des cytogénéticiens nous ont appris comment se dédoublent les chromosomes, supports de l'hérédité. Mais la théorie néo-darwinienne classique explique mal le maintien durable d'un important polymorphisme : la fréquence des mutations est si faible que les gènes défavorisés ne peuvent qu'être rares. Le modèle le plus simple expliquant le maintien simultané de plusieurs catégories de gènes pour un même caractère est celui qui admet un avantage sélectif des hétérozygotes : ainsi le cas de l'anémie falciforme évoqué au chapitre II ; la disparition de gènes S par la mort des enfants homozygotes pour ce gène est compensée par la disparition de gènes « normaux » due à la moindre résistance au paludisme des individus ne possédant pas le gène S. Un équilibre « polymorphe » peut alors s'installer. Mais cet équilibre n'est réalisé que par la mort de nombreux enfants ; pour ce seul caractère le polymorphisme est maintenu, dans certaines régions d'Afrique, par l'élimination de 10 % des naissances (dont un quart par l'anémie falciforme et trois quarts par le paludisme). Un fardeau génétique aussi lourd ne pourrait évidemment être supporté simultanément pour de nombreux caractères.

L'opinion générale, il y a une quinzaine d'années, était que les populations étaient homogènes pour la plupart des caractères ; une proportion relativement faible de ceux-ci pouvait être maintenue polymorphe, par des mécanismes sélectifs simples (comme l'avantage des hétérozygotes) ou plus complexes (comme celui basé sur des valeurs sélectives variables en fonction des fréquences des gènes, phénomène mis en évidence, notamment par Claudine Petit [68], chez les drosophiles).

L'utilisation systématique des techniques d'électrophorèse (c'est-à-dire de différenciation des molécules en fonction de la rapidité de leur migration dans un champ électrique) a montré que la réalité biologique n'est absolument pas conforme à cette vision. L'un des avantages de cette technique est qu'elle permet d'étudier un échantillon de protéines que l'on peut raisonnablement considérer comme représentatif de l'ensemble de celles que fabrique notre organisme (alors que cette représentativité n'était pas assurée par les systèmes sanguins qui constituaient jusque-là l'essentiel de notre connaissance du polymorphisme humain). De plus, cette méthode est peu coûteuse et ne nécessite qu'un appareillage simple : la protéine déposée sur un gel est soumise pendant plusieurs heures à un champ électrique ; sous l'influence de ce champ, elle se déplace ; le chemin parcouru dépend essentiellement de sa charge électrique ; des révélateurs permettent de déceler son point d'arrivée sous forme d'une bande sombre.

On peut ainsi étudier des prélèvements provenant de plusieurs centaines d'individus : une même protéine, ayant chez tous le même rôle, sans qu'aucune différence fonctionnelle ne soit décelable, peut fort bien donner lieu à des bandes ayant des emplacements variables selon les sujets : l'uniformité fonctionnelle camouflait une hétérogénéité qui est le signe de la présence de gènes différents ; des mutations que rien ne révélait autrefois peuvent être mises en évidence par cette technique.

Lorsque l'on examine un nombre suffisamment élevé de sujets, il est rare de ne pas découvrir quelques variantes individuelles ; afin de préciser le concept de polymorphisme, on ne tient pas compte des cas exceptionnels qui n'ont guère de sens pour la population ; par une convention largement acceptée, on admet qu'un caractère est « polymorphe » lorsque 2 % au moins des sujets sont hétérozygotes.

Qu'elles aient porté sur les animaux ou sur les hommes, les recherches ont montré que ce polymorphisme est beaucoup plus élevé qu'on ne le prévoyait : pour le caractériser, disons que, dans la plupart des populations, 40 à 50 % au moins des caractères sont polymorphes, ou – autre vision du même phénomène – qu'au moins 15 % des caractères d'un individu quelconque sont hétérozygotes [52].

Cette constatation remet en cause bien des idées admises : puisqu'elle n'avait pas été prévue par les développements théoriques antérieurs, force est de réviser la théorie. Deux voies peuvent être explorées :

– Une première attitude consiste à oublier, au moins provisoirement, le concept de valeur sélective des divers gènes. Lorsqu'un gène apparaît par mutation il peut, c'est un cas fréquent, être sévèrement dommageable : modifiant par exemple la structure d'une enzyme, il la rend inopérante, perturbe gravement un métabolisme, rend le sujet qui en a été doté incapable de survivre ou de procréer ; de tels gènes sont éliminés dès leur introduction dans le patrimoine collectif ; ils ne participent donc pas au polymorphisme général. Les autres mutants, compatibles avec un fonctionnement normal de l'organisme, ont sans doute une influence, favorable ou non, sur celui-ci ; mais cette influence est hors de portée de nos possibilités de mesure ; il est de bonne technique scientifique de les considérer comme « neutres », d'étudier leur évolution en admettant, comme hypothèse de travail, leur neutralité. Cette attitude a été adoptée surtout depuis une dizaine d'années par des généticiens comme Motoo Kimura [48] et Masatoshi Nei [66] parmi bien d'autres, dont les travaux étaient depuis longtemps orientés vers des recherches impliquant une dose élevée de mathématiques. Certains, par esprit de provocation, ont présenté cette orientation comme mettant en place une théorie « non darwinienne » de l'évolution. Une formulation aussi brutale risque de déformer l'intention réelle de ces recherches. En fait, il s'agit de mettre l'accent sur le facteur évolutif introduit par la découverte de Mendel, le hasard, et de limiter autant que possible le recours au concept darwinien imprécis de « valeur sélective ». Il se trouve que le pouvoir explicatif de ces modèles admettant l'équivalence des divers gènes dont le destin n'est plus fonction de leurs qualités propres, mais d'événements contingents, imprévisibles, s'est révélé tout à fait remarquable : une grande part des observations que nous pouvons réaliser, concernant notamment la répartition des fréquences géniques, sont compatibles avec les conséquences que l'on peut tirer de cette hypothèse. Notre vision du processus de l'évolution s'en trouve profondément modifiée : le rythme de celle-ci n'est plus dicté par l'intensité des pressions sélectives, mais par la fréquence des mutations ; le premier rôle n'est plus tenu par la nécessité, mais par le hasard.

— Une seconde voie, sans doute plus « classique », consiste à rendre moins simpliste la théorie initiale pour lui permettre de mieux rendre compte du réel observé. Pour cela le chercheur n'a que l'embarras du choix, tant les premiers modèles du « néo-darwinisme » étaient, consciemment, simplifiés. Les travaux les plus importants ont concerné la prise en compte simultanée de plusieurs caractères élémentaires ; des propriétés tout à fait inattendues ont pu être mises en évidence par certaines équipes américaines telles que celles de Karlin [46] et Feldman [27] à l'université de Stanford ou de Lewontin [54] à Harvard. Dès que deux caractères ou plus interviennent simultanément sur les valeurs sélectives des individus, le comportement des structures géniques d'une population peut présenter des aspects pour le moins paradoxaux ; en particulier le théorème fondamental de Fisher n'est le plus souvent pas vérifié : l'action de la sélection n'entraîne pas nécessairement un accroissement de la valeur sélective moyenne. Le nombre des équilibres stables que l'on peut mettre en évidence, soit par le calcul, soit par des simulations sur ordinateur, augmente très vite avec le nombre de caractères pris en considération ; lorsqu'une population reste soumise à des conditions constantes durant un grand nombre de générations, sa structure génique tend vers l'un de ces équilibres, mais, ceux-ci étant multiples, l'aboutissement dépend autant de la structure génique initiale que des pressions sélectives exercées par le milieu (ainsi une bille abandonnée sur une surface bosselée aboutit dans l'un des creux ; selon son point de départ, le point d'arrivée peut être très variable).

Il est alors très difficile d'expliquer la trajectoire évolutive d'un caractère en fonction des seuls liens entre ce caractère et la valeur sélective des individus. Un paramètre nouveau s'introduit, la localisation des gènes sur les chromosomes ; deux caractères ont des évolutions d'autant plus interdépendantes que les gènes correspondants sont plus proches [41].

Reprenons l'exemple célèbre du cou des girafes :

– pour Lamarck, les girafes, obligées de chercher leur nourriture à une grande hauteur, allongent le cou ; ce caractère acquis est transmis à leur descendance et peu à peu l'espèce acquiert un cou plus long ;

– pour Darwin, ce processus est amplifié par la « lutte pour la vie », qui favorise les girafes ayant reçu ou acquis un cou plus long que leurs congénères ;

— pour les néo-darwiniens, les caractères acquis ne peuvent être transmis, la différence des longueurs de cou dans une population de girafes correspond à une différence de leurs dotations génétiques ; la participation plus importante des girafes à long cou à la transmission génétique accroît peu à peu la fréquence des gènes responsables d'une plus grande longueur ;

— pour beaucoup de généticiens actuels, il paraît difficile d'isoler ce caractère ; les pressions sélectives ont agi simultanément sur de nombreux traits ; il a suffi que les gènes du long cou aient été par hasard associés à des gènes favorisant des métabolismes concernant de tout autres organes, pour qu'ils se répandent dans l'espèce, sans qu'ils soient nécessairement en eux-mêmes bénéfiques.

Un trait humain dont nous avons parlé à propos de la définition des races, la couleur de la peau, semble bien avoir été soumis à de telles pressions sélectives indirectes. Les populations de peau très foncée, très riche en mélanine, sont localisées dans des régions où la chaleur est particulièrement élevée, Mélanésie, péninsule de l'Inde, centre de l'Afrique. Or, du fait même de cette couleur, les problèmes de régulation thermique sont rendus plus difficiles : un Noir absorbe 30 % d'énergie solaire de plus qu'un Blanc. Il serait beaucoup plus bénéfique à un Suédois qu'à un Sénagalais d'avoir une peau foncée ; les calories absorbées en supplément lui permettraient de lutter contre le froid alors que le Sénégalais doit les éliminer pour lutter contre un excès de chaleur. Certes la lumière exerce d'autres effets que l'apport d'énergie : brûlures et induction de cancer pour lesquelles la mélanine constitue une certaine protection, synthèse de vitamine D antirachitique, pour laquelle la présence de mélanine peut être, selon les conditions, soit favorable, soit défavorable. De toute façon, ces effets sont de peu d'intensité et peuvent difficilement induire une pression sélective significative ; de plus, ils sont liés, non à l'intensité globale du rayonnement solaire, mais à l'intensité des rayons de très faible longueur d'onde dont la répartition sur le globe n'est que faiblement corrélée avec la répartition des couleurs de peau [47].

Il semble donc impossible d'admettre que la couleur des hommes résulte d'un processus adaptatif simple. La localisation des peaux foncées dans certaines régions peut difficilement être attribuée au hasard des migrations, la coïncidence serait troublante ; peut-être des pressions sélectives complexes faisant intervenir de tout autres caractères et dont l'analyse n'est guère envisageable avec les moyens actuels, ont-elles été à l'œuvre.

Pour terminer, notons que les modèles globaux d'action de la sélection naturelle, tenant compte de l'interaction de nombreux gènes, aboutissent à faire dépendre l'évolution d'un caractère de phénomènes qui ne le concernent en rien. Tel gène se répandra dans la population, tel autre sera éliminé, non pas en raison de son effet propre, bénéfique ou maléfique, mais en raison de son association fortuite avec des gènes gouvernant de tout autres caractères. Une telle description revient à soumettre cette évolution au « hasard ». Ce mot, si employé, crée un grave risque de confusion ; rappelons que nous n'avons pas défini le hasard comme l'absence de cause, mais comme l'absence de causes identifiables ou, ce qui revient au même, comme la rencontre de « séries causales indépendantes », selon l'expression d'Augustin Cournot. (Lorsque nous attribuons au hasard le numéro sorti à la roulette, nous ne nions pas l'existence des multiples déterminismes qui ont dirigé le mouvement de la boule, mais nous admettons notre impuissance à en analyser les effets.)

Les deux directions de recherche que nous avons évoquées, l'une admettant la neutralité des divers gènes, rendant inutile le concept de valeur sélective, l'autre prenant en compte la complexité du réel, liant la valeur sélective à l'ensemble du génotype, finissent par se rejoindre : que le hasard soit introduit comme facteur explicatif, ou qu'il résulte de la complexité des déterminismes, c'est à lui que, finalement, nous faisons appel pour décrire l'évolution.

Illusion d'un type. Réalité d'une dispersion

Beaucoup de nos raisonnements à propos du monde vivant reposent sur la croyance en l'existence d'un « type » ; ce vieux concept platonicien nous permet de classer et de juger les objets, les bêtes et les hommes ; pour parler des « chats persans », des « bergers allemands » ou des « Français », il nous faut préciser ce que doit être un chat, un chien ou un homme pour appartenir à ces catégories, il nous faut définir un type ; chaque individu pourra ensuite être jugé en fonction de sa conformité au type. Cette attitude d'esprit s'est trouvée confortée par l'interprétation longtemps faite des réflexions de Darwin : dans chaque milieu les « meilleurs » gagnent et la population peu à peu s'adapte ; cette adaptation nous semble parfaite lorsque tous les individus possèdent pour chaque caractère les gènes retenus par la sélection naturelle. Cette vision des choses est très profondément ancrée en nous : pour une espèce donnée, dans un milieu donné, nous pensons qu'existe une réponse biologique ou génétique optimale, réponse que la nature est capable de peu à peu préciser et réaliser.

La génétique des populations nous montre qu'il n'y a là qu'illusion : le processus naturel n'aboutit nullement à rassembler les individus autour d'un type idéal ; il semble avoir une tout autre stratégie : préserver la diversité. Sans doute, dans l'immédiat, certains génotypes ont-ils une valeur sélective plus grande, leur présence à fréquence élevée est favorable au groupe ; mais la capacité d'évolution de celui-ci dépend de la diversité de ces génotypes : la réalisation du présent dépend de la moyenne, mais les promesses de l'avenir dépendent de la variance.

Le monde vivant que nous observons n'est pas un accomplissement ; il n'est pas l'aboutissement d'une série de déterminismes qui ne pouvaient que le conduire à l'état où nous le voyons ; il n'était pas nécessaire. A chaque instant le réel est gros d'une infinité de possibles ; les « lois de la matière » ou les « lois de l'évolution » interviennent pour doter chacun de ces possibles d'une probabilité plus ou moins élevée, mais elles ne dictent pas le résultat de la loterie ; tout au moins, les « lois » que nous sommes capables d'identifier ne peuvent pas exercer une telle contrainte. De cette infinité de possibles, un seul réel surgira, dont le choix ne peut qu'être attribué au « hasard » ; et ce réel n'est pas nécessairement l'un des possibles dont la probabilité était la plus élevée. L'arbre des espèces n'était pas prédessiné lors des premiers balbutiements de la vie ; les branches nouvelles qu'il peut encore produire sont imprévisibles.

6. L'amélioration des espèces : quelle amélioration ?

« Vous prétendez qu'il n'est pas possible d'améliorer l'espèce humaine ; pourtant l'Homme a été capable d'améliorer de nombreuses espèces animales ou végétales ; vous ne pouvez mettre en doute, par exemple, l'amélioration des races chevalines.

— Si vous étiez un cheval, penseriez-vous qu'il s'agit vraiment d'une amélioration ? »

Sous un aspect sans doute excessif, ce dialogue récent avec un journaliste me semble bien poser le problème. Les succès de la sélection artificielle ne sont pas niables ; par une action délibérée nous avons pu, au cours des siècles, transformer certaines espèces ; mais avant de nous interroger sur la transposition de cette réussite à notre propre cas, il nous faut préciser :

— les objectifs de cette action,

— les techniques utilisées pour les atteindre.

C'est aux techniques en cause qu'est consacré ce chapitre.

La réussite

La domestication des animaux a suivi de peu l'instauration de l'agriculture ; celle du chien, auxiliaire du chasseur, semble même l'avoir précédée puisqu'elle aurait débuté il y a plus de douze mille ans ; celle des chevaux, des bovins, des moutons a été plus tardive, sans doute il y a quatre à six mille ans. Cette domestication a peu à peu été accompagnée d'une action en vue d'accroître les qualités qui paraissaient utiles ou agréables aux éleveurs ; il semble d'ailleurs que les efforts en vue de préserver certains traits exceptionnels considérés comme agréables aient largement précédé ceux qui visaient à accroître les rendements.

Ce n'est guère qu'au XVIIIe siècle qu'une action systématique a été entreprise en vue d'améliorer certaines caractéristiques utiles du bétail grâce à des croisements dirigés. Les réussites ont été nombreuses, mais des conséquences indirectes défavorables, en particulier une plus grande fragilité des animaux, sont souvent apparues, faisant de cet effort un travail de Sisyphe toujours à recommencer.

Les méthodes peu à peu mises au point empiriquement ont pu recevoir à partir des années trente, grâce aux progrès de la génétique des populations, une base théorique solide. Les analyses initiales de Fisher, que nous avons déjà évoquées, ont été suivies d'une floraison de modèles permettant de guider de façon plus motivée les choix du sélectionneur.

Les résultats obtenus ne peuvent que susciter l'admiration ; le rendement en lait des vaches, le rythme de croissance des porcs, la production d'œufs des poules, toutes les caractéristiques des animaux dont dépend notre alimentation ont été améliorées de façon parfois spectaculaire : si dans un pays « traditionnel » une vache fournit 400 kg de lait par an, aux États-Unis, le rendement moyen atteignait 4 275 kg en 1955 et a, depuis, progressé, dépassant 5 500 kg en 1967.

Les progrès du rendement des céréales ont été plus merveilleux encore ; certains ont pu présenter comme une « révolution verte » les transformations qui, depuis une vingtaine d'années, ont permis aux ressources alimentaires de suivre, à peu près, le développement explosif de l'Humanité (non sans créer de multiples problèmes).

L'exemple le plus remarquable est sans doute celui du blé et des résultats obtenus par le Centre international d'amélioration de Chapingo, le « CIMMYT », au Mexique [31]. La culture du blé n'avait guère évolué, depuis des siècles, dans ce pays, lorsque, au lendemain de la dernière guerre, cet institut de recherche fut installé près de l'École nationale d'agriculture, à 50 kilomètres de Mexico. Le rendement moyen atteignait alors à peine 9 quintaux à l'hectare ; la récolte annuelle de 3 millions de quintaux ne couvrait pas la moitié des besoins. Norman Borlaug, responsable de ce centre, rechercha, parmi les quelque 5 000 variétés cultivées dans l'ensemble du pays, celles qui offraient la meilleure résistance à la rouille des céréales ; il réalisa leur croisement avec une variété japonaise à chaume court, fit plusieurs dizaines de milliers d'essais d'hybridation et obtint des variétés nouvelles ayant toutes les qualités souhaitées par les producteurs : une plante suffisamment courte pour ne pas verser, capable de résister à la sécheresse, supportant une importante fumure azotée et utilisant les apports de cette fumure pour produire des grains plus nombreux et plus lourds. Dans des conditions idéales, des rendements de 75 quintaux à l'hectare purent être obtenus. Dès 1965, la presque totalité des cultivateurs mexicains utilisaient les semences créées par l'Institut ; la récolte globale dépassait 22 millions de quintaux.

Ce succès entraîna un accroissement considérable des moyens et des responsabilités du Centre international de Chapingo ; peu à peu, il fut chargé d'animer tout un réseau de stations réparties sur tous les continents. Grâce à un travail collectif, à des échanges d'informations et de semences, de nombreux pays ont pu profiter des réussites obtenues par les chercheurs des diverses équipes : certaines variétés capables de fournir des rendements de 20 quintaux à l'hectare dans des conditions quasi désertiques ont été mises au point. Le progrès réalisé n'est pas seulement quantitatif, il est souvent qualitatif : des chercheurs indiens ont pu, grâce à des mutations provoquées au moyen de rayons ultraviolets, obtenir de nouvelles lignées de blé plus riches en protéines, et surtout en protéines contenant en plus grande quantité un acide aminé dont le faible taux limite souvent la valeur alimentaire de cette céréale, la lysine.

D'autres plantes ont bénéficié de recherches semblables, avec un succès tout aussi remarquable : les diverses variétés de riz cultivées dans la station de recherche de l'université agricole du Pendjab avaient un rendement moyen de 1 tonne à l'hectare, en 1965 ; la mise au point et la généralisation de variétés semi-naines a fait passer ce rendement à 1,8 tonne en 1970, 2,6 tonnes en 1975. Chacun connaît l'extraordinaire développement de la culture du maïs, les variétés hybrides mises au point dans les stations expérimentales du Wisconsin et de l'Iowa ont non seulement des rendements qui auraient paru autrefois fabuleux, supérieurs à 50 quintaux à l'hectare, mais ont une uniformité telle que la récolte peut être mécanisée.

Devant de tels succès, on ne peut se défendre d'un certain triomphalisme, même si les progrès réalisés n'ont pas encore permis de résoudre le problème de la malnutrition ou d'écarter la menace de la famine dans d'immenses régions. Cependant, cette réussite n'est pas due aux seuls efforts des services génétiques chargés d'améliorer les espèces ; simultanément l'usage des engrais s'est répandu, de meilleures façons culturales ont été largement adoptées. Il est difficile de dissocier les effets de ces diverses causes. De plus, les gains obtenus sur telle caractéristique sont souvent accompagnés de modifications, non cherchées et défavorables, d'autres caractéristiques ; ces « réponses corrélées » peuvent aboutir dans certains cas à de réelles catastrophes qui menacent d'anéantir les résultats obtenus : D. Hartl [36] signale le cas de volailles sélectionnées durant 12 générations pour obtenir des cuisses plus longues ; le résultat a bien été celui que l'on cherchait, mais simultanément la proportion d'œufs capables d'éclore a été divisée par deux ; de même, la sélection opérée sur les vaches en vue d'obtenir du lait plus riche en matières grasses entraîne une réduction de la production de lait.

La sélection, qu'elle soit artificielle ou naturelle, porte nécessairement sur des individus, non sur des caractères. Les résultats obtenus en poursuivant un certain objectif s'accompagnent d'effets secondaires qui, à long terme, peuvent avoir beaucoup plus d'importance que les modifications volontairement réalisées.

Enfin, même lorsque le résultat est largement favorable, il n'est nullement la preuve que les modèles théoriques qui ont permis de l'obtenir sont un reflet correct de la réalité. Les scientifiques s'élèvent souvent contre l'« argument d'autorité » ; ils seraient fondés à s'élever contre l'« argument d'efficacité », si fréquemment utilisé pour départager les « bonnes » des « mauvaises » théories. La réussite obtenue par les chercheurs dans l'amélioration des plantes et des animaux est parfois considérée comme la preuve qu'ils maîtrisent réellement le « matériel vivant » qu'ils manipulent, qu'ils sont capables de décrire les mécanismes sous-jacents, que leurs techniques peuvent donc être transposées avec efficacité pour améliorer l'Homme lui-même. En fait, cette réussite ne doit pas cacher une grande insuffisance des concepts utilisés, insuffisance que les scientifiques concernés sont les premiers à reconnaître et à déplorer. La démarche des sélectionneurs, empiriquement et laborieusement mise au point au cours des siècles, accélérée depuis quelques dizaines d'années par les découvertes de la génétique qui lui ont apporté le prestige de la science et l'efficacité des modèles théoriques, en quoi consiste-t-elle ?

L'« héritabilité », concept central

Avant tout il importe de bien comprendre à partir de quelles observations, grâce à quels raisonnements peuvent progresser les sélectionneurs et les généticiens. Les mêmes termes qui ont été utilisés pour décrire les méthodes de travail des agronomes grâce à qui la faim dans le monde a reculé sont employés pour évoquer les possibilités d'amélioration de notre espèce ou développer des programmes en vue de parvenir à un Homme « meilleur ». Les risques de contresens sont considérables.

Il est étrange de constater combien les scientifiques prennent peu de soin de cet outil essentiel de leur atelier : le mot. Tel chercheur, qui ne se servira jamais d'une pipette sale ou d'un tube ébréché, se sert sans scrupule de mots éculés, épuisés d'avoir été prononcés par tant de bouches, écrits par tant de plumes, vidés de tout sens précis par la diversité des concepts auxquels ils ont servi d'étiquette.

Souvent les deux qualificatifs « génétique » et « héritable » sont utilisés comme s'ils étaient équivalents : ce qui est déterminé par les gènes semble naturellement héritable puisque les gènes sont transmis de façon systématique des parents aux enfants ; pour la même raison ce qui est héritable paraît devoir être gouverné par le patrimoine génétique. En fait cette équivalence est tout à fait abusive.

Un caractère est « héritable » lorsqu'une certaine ressemblance est constatée entre les parents et les enfants, ou plus généralement entre les individus ayant un lien parental suffisamment étroit. Il s'agit donc d'un concept défini dans l'« univers des phénotypes », c'est-à-dire de ce qui est directement sensible, visible. Quant au qualificatif « génétique » il n'a le plus souvent aucun sens : tout caractère est génétique puisqu'il ne peut se manifester que sur un individu réalisé à partir d'un certain patrimoine génétique ; la langue ou la religion peuvent être alors qualifiées de génétiques. Pour que ce terme ait réellement un sens, il est nécessaire d'être très restrictif : on peut par exemple admettre qu'un caractère n'est « génétique » que si une liaison a pu être établie entre ses diverses modalités et la présence dans le patrimoine biologique de certaines associations de gènes.

Même dans ce sens étroit, le terme « génétique » n'est nullement équivalent à « héritable ». André Langaney [50] illustre ce point avec « Le paradoxe du sexe et de la fortune » : le sexe de chacun est rigoureusement défini par son patrimoine génétique, ce caractère n'est pourtant en aucune façon héritable ; quant à la fortune... De même, l'idiotie phénylpyruvique est une maladie « génétique », car elle se manifeste uniquement chez les individus ayant reçu deux exemplaires d'un certain gène bien défini et transmis rigoureusement selon les modalités du modèle mendélien ; cependant, même dans ce sens extrêmement simple, le milieu intervient : un régime adapté permet d'éviter la manifestation de la maladie ; ce qui est « génétique » n'est donc pas nécessairement fatal.

Bien sûr les deux concepts « héritable » et « génétique » ne sont pas indépendants, mais la liaison entre eux n'est ni simple ni claire. Les lois de Mendel, la théorie chromosomique de l'hérédité, sont merveilleusement efficaces pour expliquer la succession entre les générations, des modalités d'un « caractère élémentaire », c'est-à-dire un caractère gouverné par une seule paire de gènes. Mais les caractères soumis à un déterminisme aussi simple sont exceptionnels ; le plus souvent nous nous intéressons à des traits continus pour lesquels il est exclu que nous puissions établir un jour une liaison directe entre le patrimoine génétique, le génotype, et le caractère observable, mesurable, le phénotype. Pour de tels traits, l'intervention de multiples paires de gènes est fort probable ; ce qui est plus important encore, l'effet de ces gènes est fonction du milieu dans lequel ils agissent. Il ne nous est plus possible, dans ce cas, de progresser en nous efforçant de préciser des déterminismes, des rapports de cause à effet, entre génotype et phénotype ; nous ne pouvons qu'étudier empiriquement, par la seule observation des traits mesurables, la transmission de parents à enfants.

La difficulté ainsi rencontrée a amené les chercheurs à définir de diverses façons le concept d'héritabilité, à la suite de cheminements totalement différents ; nous allons ici en présenter trois, celui suivi par les biométriciens, celui suivi par les généticiens de population, celui enfin qui correspond à l'interrogation fondamentale : quelle est la part du patrimoine génétique dans la manifestation d'un caractère ?

L'héritabilité des biométriciens

Le concept d'héritabilité a été défini initialement par les biométriciens, c'est-à-dire les chercheurs qui étudient les organismes vivants au moyen de mesures. Intéressons-nous à un caractère mesurable tel que la taille : sur le graphique de la figure 11, nous représentons les observations effectuées dans une population imaginaire dans laquelle nous avons mesuré, avec la précision du centimètre, la taille d'un grand nombre de femmes et d'hommes constituant des couples procréateurs et, pour chaque couple, la taille d'un de leurs enfants, choisis tous de même sexe, disons des filles. Chaque famille est représentée par un point dont l'abscisse est la moyenne arithmétique des tailles des parents et l'ordonnée la taille de leur fille. On obtient ainsi un « nuage » de points dont on peut définir le « centre » C, point ayant pour abscisse la moyenne générale, dans la population étudiée, des tailles des parents et pour ordonnée la moyenne des tailles des filles.

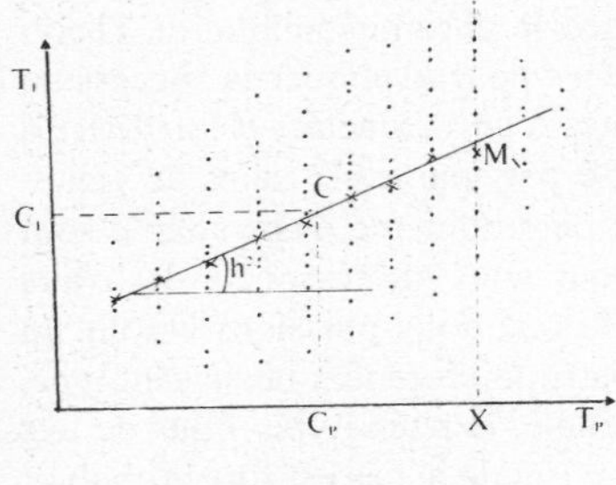

Figure 11

Considérons l'ensemble des couples ayant une certaine taille X, leurs filles ont des tailles plus ou moins dispersées autour d'une moyenne ; nous complétons ainsi notre nuage par les points M_X représentant la taille moyenne des filles pour une taille des parents donnée (ils sont marqués par une croix sur la figure 11). Lorsque l'on trace un tel graphique à partir d'observations réelles, on peut très généralement faire deux observations :

– L'écart à la moyenne générale de la population est plus faible, en moyenne, pour les filles que pour les parents ; autrement dit la différence entre les ordonnées des points M_X et C est plus petite que la différence de leurs abscisses : les parents mesurant 10 centimètres de plus que la moyenne ont des filles qui, dans leur ensemble, mesurent seulement 8 centimètres de plus que la moyenne. Il y a retour, ou « régression » vers la moyenne.

– L'ensemble des points M_X, représentant les moyennes des enfants, se trouve situé approximativement sur une droite, que l'on appelle « droite de régression ».

Il ne s'agit là, bien sûr, que de constatations empiriques qui peuvent fort bien ne pas être vérifiées dans certains cas particuliers. Le grand intérêt de cette analyse est de permettre une prévision : connaissant la taille des parents, on peut estimer, avant de la mesurer, la taille de leur fille avec une précision d'autant meilleure que la dispersion du nuage des points autour de la droite de régression est plus faible. On imagine aisément l'usage que les éleveurs peuvent faire de tels graphiques : en sélectionnant les vaches ayant un rendement en lait élevé, ils peuvent prévoir le rendement moyen de leurs descendantes. La réponse à cette sélection sera d'autant meilleure que la régression vers la moyenne sera plus faible, c'est-à-dire que la pente de la droite de régression sera plus élevée. Cette pente a reçu le nom d'héritabilité, elle est représentée classiquement par le symbole h^2.

– Lorsqu'elle est nulle, la droite de régression est horizontale, la mesure du caractère chez les parents n'influence pas la mesure moyenne des filles, le caractère n'est pas héritable.

– Lorsqu'elle est égale à 1, la droite est la bissectrice des deux axes, l'écart à la moyenne générale est le même chez les enfants et chez les parents, il n'y a pas de régression vers la moyenne, le caractère est rigoureusement héritable.

Une telle recherche peut évidemment être réalisée pour n'importe quel caractère mesurable, que ce soit le tour de tête, la taille ou le revenu annuel. Si les points moyens représentant les couples parents-enfant sont sensiblement alignés, l'on est en droit de tracer une droite de régression, d'en mesurer la pente et d'estimer l'héritabilité du caractère. Cette estimation correspond à une observation, réalisée dans une certaine population : elle permet une prévision à propos de l'enfant lorsque l'on connaît ses parents, mais elle n'implique aucune hypothèse, elle ne permet aucune déduction, au sujet du déterminisme de la ressemblance entre enfants et parents. Tout le raisonnement s'est déroulé dans ce que nous avons appelé l'« univers des phénotypes », il ne permet aucune inférence concernant les génotypes.

L'héritabilité des généticiens

Nous savons cependant que l'apport biologique des parents aux enfants est constitué par les gènes ; pour moitié le patrimoine génétique du père est identique à celui du fils ; cette communauté partielle des informations biologiques à partir desquelles ils se sont développés est naturellement source d'une certaine ressemblance entre eux. Les généticiens de population, et notamment le célèbre mathématicien anglais Fisher, ont développé une théorie permettant de prévoir cette ressemblance.

La démarche est exactement inverse de celle que nous venons de décrire ; il s'agit cette fois de raisonner sur le mécanisme de transmission dans l'« univers des génotypes », pour prévoir d'éventuelles ressemblances entre phénotypes. Bien sûr, l'influence du

« milieu », telle qu'elle est illustrée par notre dessin de la figure 1, rend illusoire toute tentative de passer des génotypes aux phénotypes à moins de faire l'hypothèse que « le milieu est homogène » ; cette hypothèse est nécessairement admise si l'on veut prolonger le raisonnement. Il est important de bien prendre conscience de sa signification : toute analyse génétique d'un caractère quantitatif n'a de sens que dans un milieu donné ; aucune transposition à un autre milieu n'est possible. Les limites d'application de cette théorie sont donc très étroites. Les praticiens de l'agronomie, par exemple, ne risquent guère de l'oublier, car ils sont en contact quotidien avec la réalité ; nous verrons au chapitre suivant que certains spécialistes de sciences humaines, psychologues ou sociologues, ont, par contre, souvent transposé inconsidérément dans leurs domaines les développements théoriques des généticiens en manipulant sans précaution certains résultats.

Partant de l'évidence de la commande d'un caractère par un certain nombre de paires de gènes, Fisher a proposé de rechercher un effet propre, individuel, de chaque gène sur ce caractère.

Prenons le cas le plus simple, celui d'un caractère quantitatif C ne pouvant prendre que trois valeurs et gouverné par une seule paire de gènes A et a. Si, dans une population donnée, ce caractère a la valeur moyenne :

– 6 pour les individus de génotype (aa),
– 8 pour les individus de génotype (Aa),
– 10 pour les individus de génotype (AA),

il est clair que la présence du gène a entraîne une valeur plutôt inférieure de la mesure du caractère, celle du gène A une valeur plutôt supérieure ; mais il s'agit là de tendances qualitatives que nous voudrions préciser en estimant un effet propre de chaque gène sur la manifestation du caractère. Un premier point, évident, essentiel, mais souvent perdu de vue, est que cette estimation dépend nécessairement des fréquences, dans la population, des divers génotypes. Illustrons ce point par des exemples :

— Supposons que les gènes A et a soient également représentés dans la population : leurs fréquences sont toutes deux égales à 1/2. La loi de Hardy-Weinberg, présentée au chapitre II, nous apprend que dans ce cas les proportions des 3 génotypes sont : 1/4 pour (AA), 1/2 pour (Aa), 1/4 pour (aa). La moyenne de C est alors de 8. On peut « expliquer » l'effet de chaque gène en disant que le gène a diminue la mesure de C de 1 unité ; et que A l'augmente d'autant ; les hétérozygotes subissent donc une influence égale à +1−1=0, les homozygotes (aa) à −1−1=−2, les homozygotes (AA) à +1+1=+2, ce qui est conforme à l'observation.

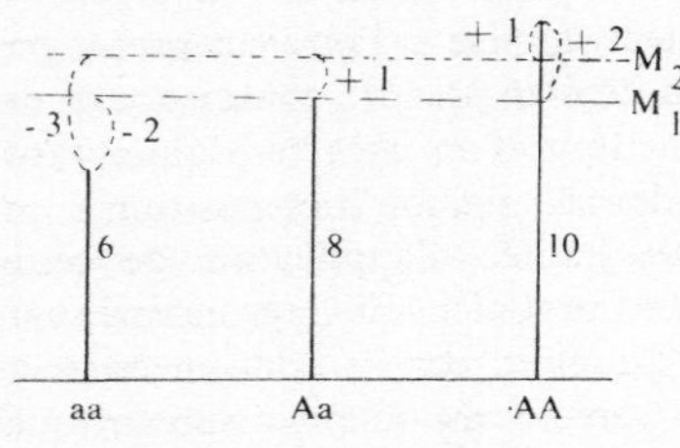

Figure 12

— Mais dans une population voisine où les fréquences des gènes seraient 1/4 pour a et 3/4 pour A, soit 1/16, 6/16, 9/16 pour chacun des génotypes, la moyenne du caractère serait de 144/16=9, valeur supérieure à celle de l'hétérozygote ; on peut encore affecter à chaque gène un effet propre, mais cette fois, il faut admettre que le gène a entraîne une réduction de 1,5 et le gène A une augmentation de 0,5.

Ce simple exemple met deux points en évidence :

— l'effet attribué à chaque gène dépend de la fréquence des gènes dans la population ; il ne définit nullement une action propre de ce gène, correspondant à un déterminisme isolé ; il caractérise un effet moyen dans .une certaine population ;

— l'effet attribué à un gène ne concerne pas le caractère en lui-même, mais l'écart entre la moyenne et la valeur du caractère pour les divers génotypes. Il ne s'agit pas d'expliquer la valeur observée pour ce caractère, mais les *variations* de ce caractère selon les génotypes.

Cette dernière réflexion est essentielle ; en toute rigueur nous ne pouvons pas affirmer qu'un caractère est gouverné par 1, 2 ou n paires de gènes, mais seulement que les variations de ce caractère sont gouvernées par... Il ne s'agit pas là d'une nuance insignifiante, elle concerne notre interprétation de l'analyse génétique en terme de « déterminisme », ou de « causalité » ; un caractère peut être soumis à de multiples déterminismes mettant en jeu de très nombreux gènes, mais ne présenter, dans une population donnée, que des variations dues à une seule paire de gènes. L'analyse génétique ne mettra en évidence que le rôle de cette paire de gènes, ce qui n'enlève rien au rôle des autres dans le déterminisme du caractère.

Tout en restant conscient de ces limites, nous pouvons cependant être assez satisfaits ; nous avons pu, dans le cas que nous avons étudié, attribuer à chaque gène un effet propre et constater que le caractère correspondant à chaque génotype résultait de l'addition des effets de chacun des gènes présents.

Mais cette additivité n'est nullement le cas général : notre analyse n'a abouti à un résultat aussi simple qu'en raison d'une particularité heureuse des valeurs que nous avions supposées : l'écart entre les génotypes (AA) et (Aa) était égal à l'écart entre les génotypes (Aa) et (aa). Dès que cette égalité n'est plus vérifiée, il devient impossible d'attribuer de cette façon un effet additif à chaque gène. Pour tourner cette difficulté R. Fisher a proposé d'analyser les écarts entre génotypes en deux parts, l'une attribuable à des effets additifs des gènes, l'autre à un « résidu » ; pour que le modèle ainsi élaboré ait le meilleur pouvoir explicatif compatible avec les données, l'on s'efforce de minimiser ces « résidus », ce qui, avec des procédés mathématiques classiques (annulation des dérivées partielles), est relativement aisé. Grâce à ce procédé, sans doute naturel, efficace, mais parfaitement arbitraire, on peut arriver à une estimation des effets additifs des gènes d'une part, des « résidus » qui correspondent à leurs interactions d'autre part.

Reprenons l'exemple précédent, mais en admettant que le caractère étudié ait, dans une population donnée :

— la valeur 6 pour l'ensemble des individus de génotype (aa),
— la valeur 10 pour l'ensemble des individus de génotype (Aa),
— la valeur 8 pour l'ensemble des individus de génotype (AA).

Les hétérozygotes ont une valeur supérieure, ce qui est un cas fréquemment observé. Cette fois, il n'est plus évident que tel gène accroît la mesure du caractère, et que l'autre la diminue ; ce classement peut même s'inverser selon les fréquences des deux gènes :

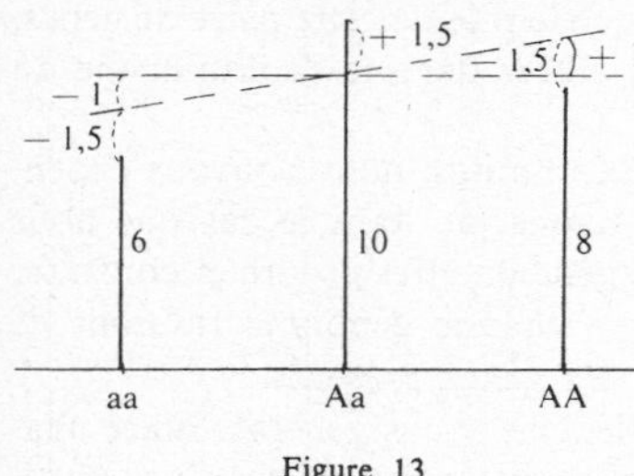

Figure 13

— dans une population où les gènes ont des fréquences égales, la moyenne du caractère est de 8,5 ; la méthode de Fisher nous amène à considérer que le gène a diminue le caractère de 0,5 et que le gène A l'accroît de 0,5 (ce qui laisse des « résidus » non expliqués par l'action propre de chaque gène de –1,5, +1,5 et –1,5 pour chaque génotype ; ces résidus sont plus importants que les effets attachés à chaque gène, mais il est impossible de faire mieux) ;

— dans une population où le gène a a la fréquence 1/4 et A la fréquence 3/4, l'effet propre du premier est d'accroître le caractère de 0,4, celui du second de le diminuer de 0,1.

Les rôles attribués à chaque gène se trouvent inversés, sans que, bien sûr, les mécanismes biologiques auxquels ils sont liés aient subi le moindre changement.

En fait, l'intérêt de cette analyse réside moins dans la détermination des effets additifs des gènes que dans la constatation d'une liaison entre ceux-ci et l'héritabilité telle qu'elle a été définie par les biométriciens. On peut en effet démontrer que :

« Lorsque les variations d'un caractère entre les individus peuvent être analysées en une part due aux différences de leurs génotypes, et une part due aux différences de milieu, et lorsque ces différences sont indépendantes, la pente de la " droite de régression " enfants-parents, c'est-à-dire l'héritabilité du caractère, est égale au rapport de la variance des effets additifs des gènes impliqués à la variance totale du caractère. » (Rappelons que la variance caractérise la dispersion d'un ensemble de nombres ; d'après cette formule l'héritabilité d'un caractère représente la part de la dispersion de ce caractère explicable par les seuls effets additifs des gènes impliqués.)

Grâce à cette relation, les deux démarches, celle des biométriciens qui observent des ressemblances, celle des généticiens qui élaborent des modèles explicatifs, se rejoignent et se complètent. On comprend que cet aboutissement inespéré ait été considéré comme une preuve de la solidité et de l'efficacité de l'outil conceptuel ainsi mis en place. Mais on risque d'oublier de quel prix ce succès a été payé ; le rapprochement des deux points de vue n'a été possible qu'en adoptant des hypothèses très lourdes sur l'absence d'interaction et sur l'indépendance des facteurs génétiques et des facteurs de milieu.

Pour bien marquer les limites de la signification de l'héritabilité, ainsi définie comme le rapport entre la variance des effets additifs à la variance totale (donc les limites à respecter dans son emploi), les chercheurs américains ont proposé de désigner ce concept par l'expression *narrow heritability*, que l'on peut traduire « héritabilité au sens strict » et représenter par le symbole h_S^2.

Mesurant la part des effets propres de chacun des divers gènes, indépendamment des autres gènes et du milieu, l'« héritabilité au sens strict » est d'une grande utilité pour le développement des méthodes auxquelles ont recours les techniciens de l'amélioration des espèces. Elle permet notamment de choisir les techniques de sélection les plus efficaces, basées soit sur les performances individuelles (si h_S^2 est élevée), soit sur les performances moyennes des familles (si h_S^2 est faible). Notons cependant qu'elle ne constitue en aucune manière une mesure de l'importance du patrimoine génétique dans le déterminisme du phénotype. Un caractère rigoureusement lié aux gènes peut fort bien avoir une héritabilité nulle : tel serait le cas par exemple pour le caractère décrit page 148 (tel que les 3 génotypes entraînent respectivement les valeurs 6, 10 et 8) dans une population où les fréquences des deux gènes seraient 1/3 pour a, 2/3 pour A ; on peut vérifier facilement que la « droite de régression » enfants-parents est alors horizontale ; aucune ressemblance n'apparaît en moyenne entre les pères et leurs fils, alors que, par hypothèse, les écarts constatés entre les individus ne sont dus qu'à la non-identité de leurs génotypes.

Enfin remarquons que le paramètre h_S^2 ne peut être estimé directement à partir des effets additifs de gènes, puisque ceux-ci sont hors de portée de notre observation ; la seule voie possible est de comparer les ressemblances entre individus ayant divers liens de parenté (fils-père, demi-frères, frères, cousins...) et d'estimer h_S^2 en fonction des écarts que les modèles théoriques laissent prévoir.

Cette estimation suppose que l'on a été en mesure d'éliminer toute corrélation entre génotypes et milieux, ce qui est réalisable en pratique agricole, grâce à des protocoles d'expérience bien étudiés, mais ne peut être envisagé pour l'espèce humaine. En fait l'« héritabilité au sens strict » ne peut avoir aucune application dans l'étude des caractères humains ; seule peut être utilisée l'« héritabilité au sens large » que nous allons maintenant définir.

L'héritabilité de « ceux qui s'intéressent à la part du génome dans la manifestation d'un caractère »

Les deux héritabilités que nous venons de définir ne répondent ni l'une ni l'autre à la question que l'on se pose naturellement, spontanément, lorsque l'on étudie un caractère soumis, de toute évidence, à la fois à l'influence des patrimoines génétiques des individus et aux milieux dans lesquels ils vivent. Cette question est : quelles sont la part du génotype et la part du milieu dans les différences que nous constatons entre les individus ?

La réponse à ce type de question est classique, elle est fournie par la technique mathématique dite : « Analyse de la variance. » Dans son principe cette technique est simple : soit un caractère ayant, dans une certaine population, une certaine dispersion caractérisée par une variance ; dans une première phase, regroupons tous les individus ayant le même génotype, les différences entre eux sont dues uniquement à l'influence des écarts entre leurs milieux, la variance résiduelle V_M mesure cette influence ; dans une seconde phase, regroupons tous les individus vivant dans un même milieu, les différences entre eux sont dues à l'influence des écarts entre leurs génomes, la variance résiduelle V_G mesure cette influence. Naturellement le total $V_M + V_G$ n'est pas, en général, égal à la variance totale V, nous ne pouvons écrire une égalité qu'en introduisant un terme supplémentaire que nous représenterons par le symbole I(GM) :

$$V = V_G + V_M - I(GM)$$

Ce dernier terme I(GM) caractérise l'absence d'additivité entre les deux variances partielles ; on peut lui attribuer le sens d'un paramètre mesurant l'*interaction* entre le milieu et le génotype.

Dans certains cas, il apparaît que le terme correctif I(GM) est de faible importance face aux termes V_G et V_M ; il est naturel, alors, de considérer que notre équation réalise une analyse des écarts entre individus en une part due aux effets de milieu et une part due aux effets génétiques ; cette dernière part est caractérisée par le rapport V_G/V, dont on admet souvent qu'il mesure, d'une certaine façon, l'héritabilité du caractère ; pour bien marquer qu'il s'agit d'une nouvelle définition de ce concept, les généticiens américains le désignent par l'expression « héritabilité au sens large » et le représentent par le symbole h^2_L.

En génétique humaine ce paramètre h_L^2 a été largement utilisé, car il peut être directement estimé grâce aux études de jumeaux. En effet, les jumeaux dits « monozygotes », ou « vrais jumeaux », résultant de la fécondation d'un seul ovule par un seul spermatozoïde, sont deux individus ayant rigoureusement le même patrimoine génétique ; au contraire, les « faux jumeaux » ou « dizygotes » ne sont que des frères ou sœurs conçus simultanément. On conçoit que, en analysant les écarts entre les membres d'une paire de jumeaux, selon qu'ils sont de l'un ou de l'autre type, nous pouvons estimer les parts V_G et V_M de la variance totale ; encore faudra-t-il vérifier que de multiples conditions sont satisfaites, notamment que les jumeaux étudiés subissent des influences du milieu aussi dispersées que celles qui sont imposées à l'ensemble de la population. Nous verrons au chapitre suivant, à propos des problèmes posés par les recherches des psychologues sur l'« héritabilité de l'intelligence », que le respect de ces conditions est, en fait, bien rarement réalisé.

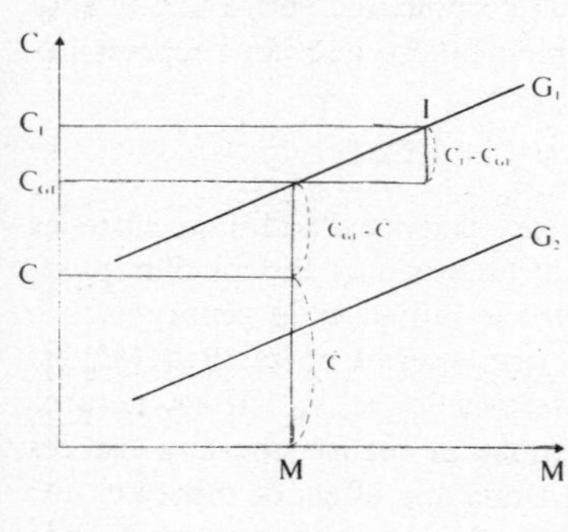

Figure 14

Pour l'instant interrogeons-nous sur le sens de l'hypothèse initiale, qui conditionne tout le raisonnement : le terme d'interaction I(GM) est supposé négligeable. Pour préciser plus clairement ce sens, étudions un cas extrêmement simple : celui d'une population où le caractère étudié est tel que le « milieu » peut être caractérisé par un seul nombre M (ce serait le cas, par exemple, si le seul paramètre variable influençant le caractère était l'altitude, ou la température, ou la quantité de nourriture disponible par individu) et où 2 génotypes seulement sont présents.

La valeur du caractère C chez un individu est fonction de la valeur M du milieu et de son génotype. Supposons que pour chaque génotype les points de coordonnée (C, M) soient sur une droite et que les deux droites soient parallèles. La valeur C_I du caractère chez l'individu I peut, dans ce cas, s'analyser en trois parts :

— la valeur moyenne $\bar{C}$ de l'ensemble de la population,

— un écart $C_{GI} - \bar{C}$ entre la moyenne du caractère dans l'ensemble des individus ayant le génotype G_I, et la moyenne générale $\bar{C}$,

— un écart $C_I - C_{GI}$ dû au fait que I ne subit pas l'environnement moyen.

Le second terme représente l'effet propre du génome, le troisième l'effet propre du milieu. Le parallélisme des deux droites assure qu'une variation donnée au milieu entraîne la même variation du caractère quel que soit le génotype, et que l'écart entre deux individus ne différant que par le génotype est le même quel que soit le milieu. Dans ces conditions on peut écrire :

$$V = V_G + V_M$$

et le terme $h_L^2 = V_G/V$ a un sens clair : il représente la part de la variabilité constatée due à la non-homogénéité génétique ; on peut, si on le désire, lui donner le sens d'un *index de détermination génétique des écarts observés pour ce caractère dans la population.*

Si, par contre, nos deux droites n'avaient pas été parallèles, le total des deux variances partielles n'aurait pas été égal à la variance totale, un terme d'interaction aurait dû intervenir, ce qui enlève une grande part de son sens au paramètre h_L^2.

Analyse de variance et analyse de causes

Le terme «index de détermination génétique» est doublement trompeur. Il donne l'illusion que nous avons analysé en causes indépendantes le déterminisme du caractère. En réalité, notre étude a porté non sur le *caractère* lui-même, mais sur les écarts observés ; elle a recherché non les *causes* de ces écarts, mais la modification de ceux-ci lorsque certains facteurs sont fixés.

Une interprétation, en termes de «causes», des résultats de notre analyse ne peut être réaliste que si le mécanisme sous-jacent est déterminé par des facteurs agissant indépendamment les uns des autres, et ajoutant leurs effets.

Pour illustrer cette affirmation, prenons un exemple : des maçons appartenant à deux catégories, disons des Bretons et des Jurassiens, construisent un mur en superposant des briques ; je peux compter les rangées et estimer la part de chaque catégorie de maçons dans la hauteur totale. Au bout, par exemple, d'une année d'observation, je constaterai que les maçons bretons ont posé 80 % des briques, les Jurassiens, 20 % ; je serai alors en droit d'affirmer que le résultat final est déterminé pour 80 % par les premiers, pour 20 % par les seconds, je pourrai analyser réellement les causes de ce résultat. Mais si les Bretons sont chargés de faire le ciment, et les Jurassiens de placer et sceller les briques, cette analyse n'a plus aucun sens ; il serait absurde de chercher à attribuer une part à chaque groupe dans le déterminisme du résultat final puisque, seule, leur interaction est efficace ; ni les Bretons, ni les Jurassiens ne construisent à eux seuls la moindre portion de mur.

Cependant, au cours de l'année sur laquelle porte notre observation, l'absentéisme a touché les deux catégories, entraînant une variation de la production journalière, cette variation peut être mesurée par la variance V de la surface de mur élevée chaque jour. Je peux regrouper toutes les journées où l'effectif des Bretons était le même et calculer la variance de cette surface, elle est due aux fluctuations d'effectifs des Jurassiens, désignons-la par V_J ; de même, je peux évaluer V_B, variance de la production calculée sur l'ensemble des jours où l'effectif des Jurassiens était constant. Si, par chance, le total $V_B + V_J$ est proche de V, je peux estimer par le rapport V_B/V la part de la variabilité totale qu'explique la variation de l'effectif des Bretons, et de même par V_J/V l'influence des Jurassiens sur les variations constatées dans la production journalière.

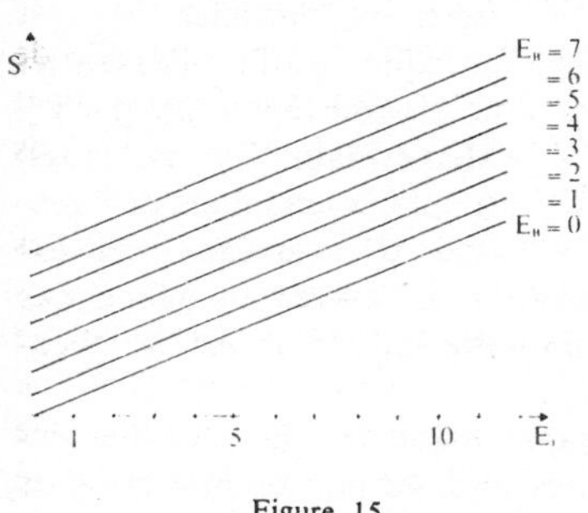

Figure 15

Dessinons un graphique semblable à celui de la figure 14 en portant en ordonnée la surface S de mur construite chaque jour et en abscisse le nombre E_J d'ouvriers jurassiens présents ; nous obtenons des séries de points situés sur des courbes dépendant du nombre E_B d'ouvriers bretons. S'il n'y a aucune interaction entre les deux catégories (par exemple, si chaque ouvrier, quelle que soit sa catégorie, pose des rangées de briques) le graphique sera constitué de droites parallèles (figure 15). Mais si leurs activités sont interdépendantes (par exemple, si les premiers font tourner des bétonnières, les seconds élèvent le mur) les courbes risquent fort de ne plus être des droites parallèles ; des phénomènes de seuil apparaîtront : s'il n'y a aucun ouvrier breton les Jurassiens dépourvus de ciment ne pourront rien construire quel que soit leur nombre ; s'il n'y a qu'un Breton cette surface sera vite limitée, etc., nous obtiendrons un graphique semblable à celui de la figure 16.

Remarquons tout d'abord que, dans ce cas, l'analyse de variance aboutit à des résultats différents selon la plage de dispersion des effectifs de Jurassiens. Sur un chantier A où ces effectifs ont varié entre 1 et 4, nous constatons que la variance totale est due pour l'essentiel à V_J et pour une faible part à V_B ; sur un chantier B où ils ont varié entre 8 et 12, dans une zone où l'effet de seuil se manifeste, la variance V_J est presque nulle, l'essentiel de V étant représenté par V_B. Même dans un cas aussi simple, les résultats de l'analyse de variance peuvent être contradictoires d'une observation à l'autre ; en aucun cas ils ne peuvent nous fournir la moindre indication sur le mécanisme sous-jacent.

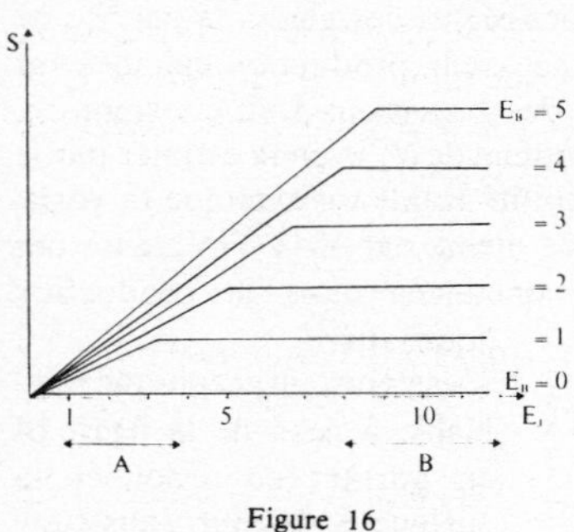

Figure 16

Malheureusement, cette technique mathématique, parfaitement légitime dans de nombreux cas, est utilisée par les praticiens de nombreuses disciplines, qui accordent parfois aux résultats obtenus un sens qu'ils ne peuvent avoir. Dès qu'un phénomène est quantifié, il est toujours possible de faire subir aux mesures observées des traitements mathématiques complexes, aboutissant à l'estimation de divers paramètres ; cependant, si ces paramètres n'ont pas de sens précis, les calculs qui permettent de les estimer constituent une activité rigoureusement inutile, même si des algorithmes subtils et des ordinateurs puissants ont été utilisés. La complexité des mathématiques utilisées pour répondre ne suffit pas à donner du sens à une question absurde. Tel est souvent le cas pour la recherche des parts des diverses « causes » dans le déterminisme d'un caractère ; sauf circonstances exceptionnelles, cette recherche correspond à une interrogation dénuée de toute signification [55].

Cette distinction fondamentale entre recherche des causes et analyse des variations est souvent oubliée dans le problème qui nous occupe ici, l'estimation d'un effet propre du milieu et d'un effet propre du patrimoine génétique dans le déterminisme d'un caractère. Illustrons cette difficulté par un exemple très simple tiré de l'expérience des stations agronomiques.

Un cas réel parmi d'autres : le rendement des haricots

C'est en étudiant des pois que Mendel a découvert les lois de la génétique ; utilisons une espèce voisine, le haricot, pour comprendre l'absence de sens de certaines affirmations concernant la part du génome dans le déterminisme de certains caractères, ou dans le déterminisme de leurs variations.

Les variétés primitives de haricots, telles que celles cultivées traditionnellement en Amérique du Sud, ont un rendement relativement faible, variable bien sûr selon la qualité du terrain et la quantité de fumure apportée. Dans les terres ingrates et peu profondes de certains plateaux du Mexique, du Pérou ou de Haïti, le rendement ne dépasse guère 5 quintaux à l'hectare. Mais les mêmes semences permettent d'obtenir 10 à 15 quintaux à l'hectare dans les stations agronomiques de ces pays. Certaines de ces variétés fournissent ce même rendement de 15 quintaux dans les bonnes terres de France. Mais, depuis l'introduction de cette espèce en Europe, au XVIe siècle, les sélectionneurs, grâce à leurs techniques d'« amélioration », ont su créer de nouvelles variétés, mieux adaptées à notre climat et à la richesse de nos sols ; il n'est pas rare d'aboutir actuellement en France à un rendement de 30 quintaux à l'hectare, six fois supérieur à celui des paysans haïtiens. Cet écart est dû à deux «causes»: la différence génétique des variétés, la différence des conditions de culture, ce qui motive la question : quelles sont les parts attribuables à ces deux causes ?

Pour répondre, on peut remarquer que l'effet du changement de milieu sur la variété indienne accroît le rendement de 10 quintaux, et le changement de variété dans les terres françaises de 15 quintaux à l'hectare supplémentaires, d'où la conclusion : l'amélioration est due pour 40 % au changement de milieu, pour 60 % au changement génétique.

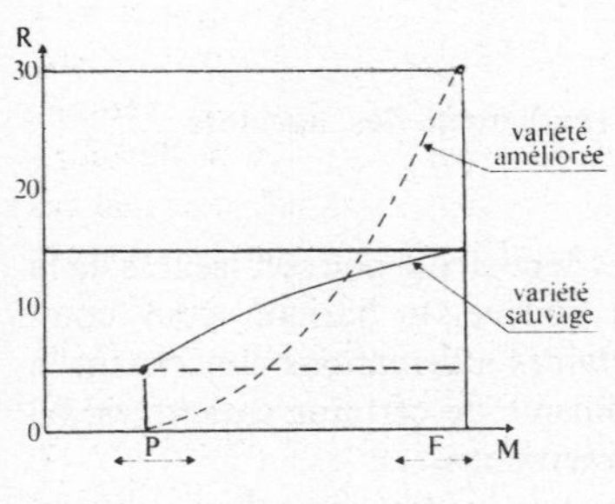

Figure 17

Mais nous pourrions, avec autant de bonnes raisons, faire le chemin inverse en plantant la variété « améliorée» européenne à Haïti ou au Pérou. Il se trouve que cette variété est incapable de se satisfaire des conditions difficiles qu'elle rencontre sur des terres appauvries, son rendement y est nul. Nous pouvons donc affirmer que l'écart des rendements obtenus correspond à + 30 qx dus aux différences de milieu et – 5 qx dus aux différences génétiques.

L'analyse de la variance n'a donc aucun sens absolu : l'espèce améliorée est supérieure à l'espèce traditionnelle dans un certain milieu, elle lui est inférieure dans d'autres milieux. On peut représenter cette observation par la figure 17 : les deux courbes figurant la variation du caractère «rendement» en fonction du «milieu» ne sont nullement cette fois des droites parallèles, mais des lignes qui se croisent. Dans un tel cas la question que nous avions posée («Quelles sont les parts des diverses causes») n'a aucun sens. Or, il ne s'agit pas d'un exemple exceptionnel, malicieusement choisi pour semer le trouble dans la pensée. Dans de nombreux cas l'interaction entre le génotype et le milieu est telle que la caractéristique étudiée ne permet pas de classer les génotypes.

Remarquons que l'analyse de variance garde cependant son sens si les variations de milieu sont suffisamment petites ; les agronomes français, travaillant sur la plage F de variation du milieu, pourront évaluer une « héritabilité » du rendement, de même les agronomes péruviens travaillant sur la plage P ; les résultats qu'ils obtiendront les uns et les autres seront parfaitement valables et leur permettront d'orienter efficacement leur action dans la mesure où chacun ne s'écartera pas trop de son domaine propre de variation. Les Français pourront, par exemple, affirmer que le rendement du haricot dépend pour 20 % du patrimoine génétique et 80 % du milieu, les Péruviens affirmer que ces chiffres sont respectivement 80 % et 20 %, tous auront raison ; ces résultats seront sans cohérence entre eux car ils concerneront deux objets différents ; l'un représentera l'héritabilité des rendements dans le milieu F, l'autre dans le milieu I ; aucun ne représentera l'« héritabilité en soi », concept qui ne peut être défini. Si l'on utilisait les résultats partiels ainsi obtenus pour tenter d'expliquer les écarts constatés globalement entre les rendements français et indiens, l'on ferait un exercice évidemment absurde. Les agronomes en sont bien conscients et ne se risqueraient pas à de telles stupidités.

Au risque de lasser le lecteur, je crois utile d'insister : un habillage mathématique ne peut donner de sens à une mesure inepte. Un généticien perturbé, un psychologue dément peuvent un jour inventer le paramètre X obtenu, pour chaque personne chargée de famille, en divisant sa taille par le tour de tête de son conjoint et en ajoutant la moyenne des quotients intellectuels de ses enfants ; ils peuvent donner à X un nom à consonance grecque, ou mieux, anglaise, calculer X dans de nombreuses familles, comparer les moyennes de X selon les groupes socioprofessionnels, les races ou les générations, déterminer l'héritabilité de X, etc., la débauche de calculs n'empêchera pas tous les résultats obtenus de n'avoir aucun intérêt, puisqu'ils concernent des chiffres qui ne mesurent rien.

Que de querelles seraient évitées si, avant de lancer des chiffres dans la discussion, l'on acceptait de s'interroger loyalement sur leur signification !

C'est ce que nous tenterons dans le prochain chapitre à propos de la caractéristique qui est au centre de toutes les réflexions des eugénistes, élaborant des programmes d'amélioration de l'espèce humaine : l'intelligence.

Les interrogations et les doutes

Les modèles génétiques concernant les caractères quantitatifs peuvent certes permettre d'orienter l'action des sélectionneurs, mais il ne faut pas se leurrer sur leur pouvoir explicatif. Nécessairement irréalistes, ils correspondent plus à une méthode de résolution des problèmes numériques auxquels les chercheurs sont confrontés qu'à une tentative de description d'un mécanisme naturel. Un certain malaise est peu à peu apparu parmi les théoriciens ; l'un des plus connus parmi ceux-ci, auteur d'un ouvrage que tous les généticiens connaissent, Oscar Kempthorne, a estimé utile de réunir, en août 1976, dans son université de l'Iowa, entourée d'immenses champs de maïs, preuves tangibles de l'efficacité des méthodes de sélection, une cinquantaine de généticiens européens et américains ; l'objectif était de réfléchir sur « le doute profond ressenti au sujet de la qualité et de l'utilité des théories actuellement disponibles en génétique quantitative ». Un volume de près de 900 pages a été publié à la suite de cette rencontre ; il montre à quel point de nouveaux progrès dépendent de l'élaboration de modèles moins simplistes que ceux utilisés jusqu'ici [47].

L'amélioration des espèces : quelle amélioration ?

Les techniques actuelles, notamment celles qui sont basées sur le concept d'héritabilité, consistent à analyser de petites variations locales ; cette attitude est celle du mathématicien qui assimile une courbe à sa tangente, ou qui réduit les valeurs d'une fonction à celle du premier terme de son développement en série ; le plus souvent ce comportement est le seul qui permette de progresser, faute d'informations ou de techniques suffisantes pour mieux « coller au réel » ; mais il ne faut se faire d'illusions ni sur la signification des paramètres introduits, ni sur la valeur du résultat que l'on pourrait obtenir au moyen d'une application répétée de techniques qui ne sont à coup sûr efficaces que de proche en proche.

A chaque étape de leur effort les sélectionneurs ont amélioré, par exemple, les lignées de haricots ; il n'est pas question de mettre en doute l'intérêt de chacun des progrès réalisés, mais le résultat final est-il réellement une amélioration ? Les variétés obtenues sont merveilleusement productrices dans les conditions très particulières où nous les cultivons ; elles sont incapables de subsister dans les rudes conditions qu'offre le plus souvent le milieu naturel. Le patrimoine génétique de ces variétés est-il meilleur que le patrimoine ancestral ? Lui est-il au contraire inférieur ? A cette question aucune réponse ne peut être donnée. Le résultat dépend des conditions dans lesquelles nous réalisons la comparaison.

Ce qui est vrai pour les haricots l'est aussi pour la plupart des espèces que nous avons manipulées, que nous avons domestiquées, mises à notre service. Si nos ancêtres cultivateurs avaient pu, il y a deux siècles, disposer des semences qui fournissent les blés magnifiques que nous voyons dans la Beauce, ils n'auraient obtenu que des récoltes misérables, bien inférieures à celles que leur fournissaient leurs semences traditionnelles. Le cas extrême est sans doute celui du maïs, sélectionné depuis plusieurs milliers d'années par les Indiens mayas, avant que le relais soit pris par les généticiens ; les variétés cultivées actuellement sont si éloignées des caractéristiques exigées naturellement pour la reproduction qu'elles ne peuvent se perpétuer sans intervention humaine ; si un cataclysme biologique ou atomique détruisait l'Humanité, les maïs disparaîtraient simultanément ; seule subsisterait une espèce, la téosinte, considérée comme une mauvaise herbe, et qui semble être le lointain ancêtre du maïs ou du moins un descendant d'un ancêtre du maïs. Quant aux espèces animales, beaucoup sont arrivées à un stade de spécialisation qui met leur survie sous notre dépendance ; les chevaux de course atteignent sans doute une vitesse de pointe remarquable, mais ils ne sont que de pauvres animaux débiles, incapables de résister seuls aux moindres agressions du milieu.

Le terme même d'« amélioration des espèces » est parfaitement trompeur. Nous n'avons amélioré ni le blé, ni les vaches, ni les chevaux ; nous avons amélioré la capacité du blé à utiliser certains engrais, la capacité des vaches à produire du lait, la capacité des chevaux à courir rapidement. Une fois de plus les mots que nous employons signifient autre chose que la réalité, et, par glissements successifs, finissent par signifier le contraire de la réalité. Pouvons-nous nous vanter d'avoir amélioré le maïs ou les chevaux, alors que nous en avons fait des espèces incapables de survivre sans nous ?

7. Intelligence et patrimoine génétique

La plupart des sociétés éprouvent la crainte d'une décadence ou même d'une « dégénérescence » biologique. La variabilité que nous pouvons observer entre les individus, la ressemblance entre les enfants et les parents aboutissent inévitablement à cette conclusion : pour le bien du groupe, il faut que les « meilleurs » participent plus que les autres à la transmission du patrimoine biologique. Nous avons cité, à propos des raisonnements tenus sur les races et leur évolution, une phrase de Konrad Lorenz typique de ce mode de pensée. Les réflexions que nous pouvons tous entendre autour de nous sont révélatrices : cette attitude est partagée par la majorité. Face à ce consentement presque général, il ne s'agit pas d'être en accord par conformisme ou en désaccord par désir d'originalité, mais de s'interroger sur la signification de cet eugénisme spontané.

La première question à poser, bien sûr, est : que veut dire « meilleur » ? Ce terme peut fort bien avoir un sens précis, mais un sens nécessairement variable selon les sociétés ou selon les pressions exercées sur le groupe par le monde extérieur. Dans une tribu de chasseurs, les « meilleurs » sont ceux qui ont la vue la plus perçante, l'agilité la plus grande, les réflexes les plus prompts ; dans une tribu de cultivateurs, ceux qui sont les plus persévérants, qui savent le mieux organiser leur travail, le mieux s'adapter au rythme lent des saisons, préparer les récoltes à venir. Dans nos sociétés dites « évoluées » certaines qualités physiques sont valorisées ; en témoigne l'engouement pour les champions de toutes disciplines ; mais une « qualité » semble l'emporter sur toutes les autres, l'intelligence.

Le superman des bandes dessinées a sans doute de gros bras, mais il a surtout une « grosse tête ». Implicitement ou non, tous les programmes d'amélioration de l'Homme visent à créer des êtres d'une intelligence supérieure. Cette qualité que tous s'accordent à estimer essentielle, en quoi consiste-t-elle ?

Qu'est-ce que l'intelligence ?

L'information qu'apporte un mot est d'autant plus pauvre que ce mot est riche de sens divers ; le dictionnaire Robert consacre plusieurs colonnes à « Intelligence » tant ce terme concerne de concepts variés ; son emploi ne peut donc être utile dans le discours qu'au prix de précautions lui donnant une signification claire.

En prononçant ou écrivant « intelligence » l'on évoque tout un ensemble de caractéristiques, mal définies mais ayant la particularité d'être à première vue spécifiques de notre espèce. Pour l'Homme, l'intelligence est « ce je-ne-sais-quoi par lequel il exprime sa différence par rapport aux êtres qui l'entourent » (J.-P. Richard) [71] ; notons que ces « êtres » peuvent être des ordinateurs autant que des animaux.

Philosophes et psychologues ont certes cherché à préciser ce je-ne-sais-quoi et leurs analyses sont particulièrement « intelligentes ». A peu près unanimement, ils considèrent l'intelligence comme un ensemble de capacités, un pouvoir, une forme d'énergie, dont nous ne connaissons pas (et ne pourrons sans doute jamais connaître) la nature, mais dont nous constatons certaines manifestations. Ainsi la capacité d'abstraction ou la capacité d'imaginer un comportement adapté face à une situation nouvelle semblent des facettes importantes de l'intelligence. Ces capacités ne sont cependant pas l'apanage de l'Homme ; sous certaines formes, on les retrouve chez les animaux : tout comportement, si fruste soit-il, nécessite chez un animal un certain pouvoir d'abstraction. Pour de nombreux psychologues, l'intelligence n'est pas une propriété humaine spécifique, mais un ensemble de propriétés particulièrement développées par notre espèce ; elle est moins repérable par des critères de « tout ou rien », de « présence ou absence », que par des paramètres quantifiables précisant un « plus ou moins ».

On est ainsi amené à voir dans l'intelligence un ensemble de traits moins qualitatifs que quantitatifs, donc susceptibles de mesures. Tous les raisonnements tenus à propos de l'intelligence concernent en fait, non pas cet objet si difficile à cerner et à définir, mais des paramètres mesurables dont nous admettons qu'ils sont des représentations de cet objet. Pour bien marquer cette différence reprenons l'image de Wechsler, psychologue créateur de nombreux tests universellement utilisés (citée par P. Dague [20]) : nous attribuons à un certain « je-ne-sais-quoi », que nous appelons *électricité*, l'échauffement constaté dans un fil conducteur quand un courant électrique le traverse ; nous pouvons caractériser cet objet inconnu par la quantité de calories dégagées dans des conditions définies. Nous ne nous interrogeons plus alors sur cet objet lui-même, nous nous contentons d'observer ce qu'il produit. Nous pouvons faire des mesures, des calculs, des comparaisons ; notre objet est devenu « scientifique ». Mais ce succès peut se payer fort cher : mesurer des échauffements ne nous indique rien sur d'autres propriétés plus étranges encore de l'électricité, magnétiques ou chimiques par exemple. Tout ce que nous faisons est d'étudier un paramètre arbitrairement choisi pour représenter l'objet inaccessible.

Tel est le rôle du célèbre quotient intellectuel (QI) si fréquemment utilisé pour représenter l'intelligence.

Age mental et quotient intellectuel

Renonçant à préciser en quoi consiste l'intelligence, nous nous contentons de la caractériser par certaines aptitudes (à juger, à comprendre, à imaginer...) et de mesurer ces aptitudes d'après des attitudes : les réponses données à certaines questions que les psychologues ont mises au point en vue de susciter des opérations mentales relativement définies, les « tests ».

La subtilité et l'imagination des psychologues se sont révélées remarquables. Ils ont inventé un nombre considérable de tests qui donnent, selon de multiples points de vue, des échappées sur cet « objet » mystérieux, en perpétuelle transformation, qu'est l'activité intellectuelle. Mais, par leur multiplicité même, les informations obtenues posent problème : comment en faire la synthèse ? La réponse géniale qu'a fournie Binet au début de ce siècle repose sur l'observation du développement intellectuel chez l'enfant. Dans une population donnée tel test est réussi, en moyenne, par les enfants de plus de tel âge, mais les enfants plus jeunes en sont, en moyenne, incapables. On peut ainsi établir une échelle faisant correspondre à chaque test l'âge auquel il est normalement réussi : en fonction des résultats d'un enfant à un ensemble de tests, on pourra alors calculer son « âge mental », exprimé en années et en mois ; la comparaison avec son âge réel permet de préciser son avance ou son retard par rapport à la moyenne.

Cette démarche est surtout convaincante par le sens concret qu'elle donne au résultat final : plutôt que de calculer une note moyenne parlant peu à l'imagination, on détermine un âge, élément que notre esprit saisit aisément.

Mais cette réussite ne doit pas faire oublier que, comme toute moyenne, l'âge mental est une donnée unique qui ne garde qu'une faible partie de l'information contenue dans les résultats élémentaires : deux enfants ayant des résultats aux tests fort différents peuvent, par le jeu des compensations, avoir des âges mentaux identiques ; la vision que ce nombre nous donne de l'ensemble des aptitudes intellectuelles est donc très appauvrie.

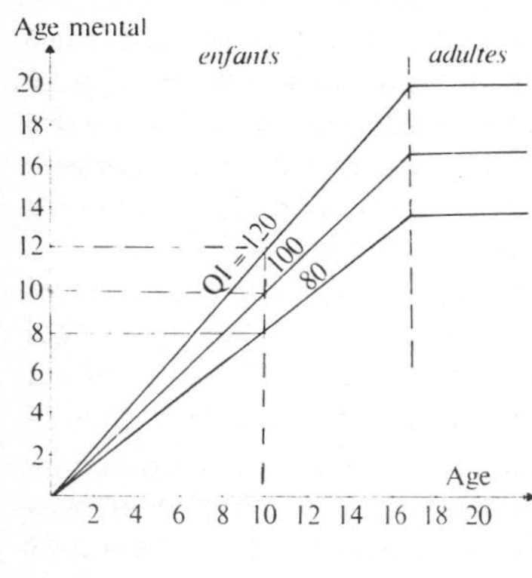

Figure 18

De plus, un écart entre âge mental et âge réel n'a qu'un sens relatif : une avance d'un an à quinze ans a une importance moindre qu'une même avance à cinq ans. Pour éliminer cette objection, les psychologues américains Stern et Terman ont proposé le concept de « quotient de développement intellectuel », dont on sait la prodigieuse fortune sous l'étiquette de QI. Pour justifier ce QI, ils admettent l'hypothèse suivante : le développement intellectuel de chaque enfant se réalise de façon continue et à vitesse constante ; les points représentant ce développement sur un graphique où l'âge réel est en abscisse, l'âge mental est en ordonnée, sont donc situés sur une droite.

La pente de cette droite caractérise la rapidité de ce développement, elle mesure le QI ; plus précisément le QI est égal à cette pente multipliée par 100, ce qui fournit des nombres plus maniables : le QI est donc par définition égal à cent fois le quotient $\frac{\text{Age mental}}{\text{Age réel}}$ Les enfants dont l'âge mental est égal à l'âge réel se trouvent sur la droite QI = 100, ceux qui ont, à 10 ans, 8 ans d'âge mental, ou à 15 ans, 12 ans d'âge mental, sur la droite QI = 80...

Si, hypothèse supplémentaire, nous admettons que ce développement uniforme s'arrête pour tous les individus au même âge, le QI mesuré chez les enfants caractérise également la hiérarchie intellectuelle des adultes.

Ne reprochons pas aux psychologues d'avoir ainsi accumulé des hypothèses dont le réalisme est douteux ; toute démarche scientifique procède nécessairement de cette façon. Encore faut-il que ces hypothèses soient explicites et souvent rappelées, pour que les nombres manipulés n'acquièrent pas progressivement, dans le discours, un sens absolu qu'ils sont loin de posséder.

L'instabilité du QI

Pour que le QI puisse être considéré comme une caractéristique *stable* d'un individu, comme une étiquette que l'on peut lui attacher définitivement, il faut que les hypothèses que nous avons précisées soient toutes deux vérifiées : si des changements de pente sont observés, les hiérarchies peuvent être bouleversées ; si les durées du développement sont variables, la hiérarchie des adultes ne reflète plus celle des enfants. Or, tous les psychologues savent bien que ces changements sont fréquents. Des études longitudinales, comparant les QI des mêmes sujets à des périodes éloignées, ont tenté de préciser la stabilité du QI ; mais de telles études sont difficiles et coûteuses ; les résultats actuellement disponibles sont bien peu cohérents : certains sont en faveur d'une assez bonne stabilité, mais la plupart mettent en évidence des modifications importantes. W. Bodmer [9, p. 505] cite une observation réalisée en Suède dans laquelle la moyenne d'un groupe d'étudiants avait augmenté de 11 points entre l'âge de 12 ans et la fin de leurs études.

La vision que nous avons actuellement de ce qu'est le développement intellectuel, à la suite notamment des travaux de Piaget, est peu compatible avec l'hypothèse d'une progression continue dans le temps. Pour Piaget, ce développement correspond à des acquisitions successives de fonctions nouvelles, selon un ordre précis, mais avec des intervalles d'âge variables selon les sujets ; à chaque étape, l'esprit intègre ses capacités antérieures dans un ensemble plus riche, qui à son tour fournira une part des éléments nécessaires à une nouvelle intégration. Il s'agit beaucoup plus de l'atteinte de seuils successifs que du cheminement régulier vers un épanouissement final. Pour caractériser les possibilités intellectuelles à un âge donné, il convient alors de préciser quel stade le sujet a atteint ; constatation plus qualitative que quantitative [56, p. 280-285].

Cette conception de l'« intelligence » n'est évidemment pas compatible avec des mesures du type QI, dont la signification ne peut même plus être définie.

Un changement de milieu peut d'autre part modifier très sensiblement le développement intellectuel, les psychologues avertis en sont bien conscients. L'évidence en est notamment fournie par certains résultats, analysés par D. Courgeau [18], de la vaste enquête réalisée par l'Institut national d'études démographiques sur le niveau intellectuel des enfants d'âge scolaire. Parmi les enfants étudiés, 2 631 étaient nés à l'étranger, essentiellement en Italie, Espagne, Portugal et Afrique du Nord ; les QI observés chez ces enfants ont été analysés en fonction de la durée de leur séjour en France ; le résultat a été remarquablement clair :

— les nouveaux arrivants ont des QI inférieurs à ceux de leurs compatriotes installés en France depuis longtemps,

— ce retard est comblé progressivement et régulièrement au cours des cinq premières années de séjour,

— le QI moyen augmente ainsi de 10 unités en quatre ans, et cette croissance est la même pour tous les pays d'origine.

On peut difficilement imaginer une preuve plus nette de l'impossibilité d'attribuer au QI le caractère d'étiquette définitive attachée à chaque sujet ; l'aventure individuelle peut le modifier sensiblement. Le QI est une mesure qui reflète une certaine phase du développement de chacun, développement qui dépend pour une part très importante des événements qu'il a vécus.

L'imprécision du QI

Toute observation perturbe, dans une mesure parfois très faible mais non nulle, l'objet étudié ; ceci est particulièrement net pour les mesures de QI : l'interaction entre l'observateur et l'observé est telle que le résultat est fortement influencé par le comportement du psychologue, par ce qu'il sait, ou même par ce qu'il attend. Robert Rosenthal, professeur à Harvard, a consacré de nombreuses études à ce sujet et a notamment mis en évidence ce qu'il a appelé l' « effet Pygmalion » [75]. Selon ses observations, le seul fait d'indiquer, de façon fallacieuse, à un maître que tel élève a un « potentiel d'épanouissement intellectuel » élevé suffirait pour que son QI augmente au cours de l'année scolaire. Bien plus, les élèves dont le développement est ainsi conforme à l'attente seraient jugés plus sympathiques, plus intéressants, que les élèves qui réussissent malgré la prévision du psychologue [74] : le développement intellectuel se réaliserait donc dans de meilleures conditions lorsqu'il est attendu ; la prédiction augmenterait les chances de réalisation, ce qui en ferait une prophétie.

Les résultats de Rosenthal ont cependant été contestés par de nombreux psychologues qui n'ont pu, dans des expériences similaires, retrouver des écarts aussi nets.

On a souvent, d'autre part, évoqué l'effet, sur le résultat des tests, de l'attitude et de la personnalité de l'observateur : selon qu'il est sévère ou souriant, a la peau blanche ou la peau noire, est de sexe masculin ou de sexe féminin, est attentif ou semble se désintéresser de l'épreuve, le résultat peut être sensiblement différent. Dans son *Manuel pour l'examen psychologique de l'enfant* (1960), R. Zazzo décrit les résultats d'expériences qu'il a réalisées à ce sujet. A. Jensen note également que les enfants des milieux défavorisés sont souvent inhibés lors des premiers tests auxquels ils sont soumis et sont en fait plus intelligents que ne l'indiquent les résultats. En créant des conditions de confiance, de détente, il a observé « en règle générale un gain de 8 à 10 points de QI ».

Quelles que soient leurs causes, les erreurs possibles dans l'estimation du QI devraient être systématiquement prises en compte dans les divers raisonnements concernant ce paramètre. Dans toutes les sciences, l'estimation des erreurs sur les mesures fait partie de la métrologie. Un résultat ne peut être valablement utilisé que si l'on indique avec quelle précision il a été déterminé : un physicien sait bien qu'une masse, par exemple, ne peut être calculée de façon rigoureuse. L'imperfection de l'outillage disponible ou des conditions de l'observation entraîne nécessairement une certaine incertitude qui peut elle-même être estimée. Il est classique d'indiquer un « intervalle de confiance », plage à l'intérieur de laquelle la mesure réelle a 95 chances sur 100 de se trouver ; un physicien n'annonce pas : « tel objet a une masse de 150 g », mais « une masse de 150 ± 2 g » ; autrement dit, la mesure observée est de 150 g mais, compte tenu de l'imprécision des appareils ou des techniques, nous pouvons seulement affirmer que la masse « vraie » se trouve, avec une probabilité égale à 95 %, entre 148 et 152 g.

Les mesures du QI n'échappent évidemment pas à cette incertitude ; il est exceptionnel pourtant que les psychologues évoquent ce problème. Pour un scientifique, une telle carence suffit à jeter la suspicion sur cette mesure. Les « sciences humaines » qui prétendent au statut de « vraies sciences » doivent en payer le prix : un minimum de rigueur dans les définitions, de discipline dans les mesures.

Les tests utilisés pour aboutir à une estimation du QI ont été étalonnés avec grand soin ; personne cependant ne se hasarderait à prétendre qu'ils aboutissent à une mesure « exacte ». Le concept d'intervalle de confiance est certes moins clair pour le QI que pour une grandeur physique, car on ne peut définir le « vrai » QI ; il ne peut s'agir que de la dispersion des diverses valeurs auxquelles aboutiraient des mesures indépendantes du QI d'un même individu. Retenons les chiffres indiqués à ce sujet par le psychologue Pierre Dague [20] : selon lui l'intervalle de confiance est de l'ordre de ± 5 points pour les QI inférieurs à 85, de ± 10 points pour les QI situés entre 85 et 115 ; autrement dit l'affirmation : « Le QI de Lucien est égal à 105 » signifie : « Des mesures indépendantes du QI de Lucien aboutiraient 95 fois sur 100 à un résultat compris entre 95 et 115, et 5 fois sur 100 à un résultat extérieur à cet intervalle. »

La seconde proposition est certes moins précise que la première ; mais elle seule correspond à une interprétation honnête du résultat des tests. Ce flou donné à la mesure correspond à la réalité ; le camoufler ne peut que conduire à des interprétations inexactes.

Tel est le cas lorsque l'on compare deux QI : si celui de Lucien est 105, celui d'André 102, la différence entre eux, + 3, est, elle aussi, une mesure dotée d'un intervalle de confiance ; cet intervalle est plus large encore que celui de chacune des mesures individuelles puisqu'il dépend des erreurs possibles sur les deux mesures, il est de 14 points ; autrement dit l'écart Lucien-André est situé dans la plage (– 11, + 17), résultat si imprécis qu'il risque de n'avoir aucun intérêt ; il ne permet même pas d'affirmer lequel des deux enfants a le QI le plus élevé : la probabilité pour que le QI de Lucien soit supérieur à celui d'André est, dans notre exemple, de 72 % seulement, ce qui laisse une probabilité importante, 28 %, au cas inverse. Pour pouvoir affirmer avec un risque d'erreur inférieur à 5 %, que Lucien a un QI supérieur à celui de Paul, il faut que l'écart entre les mesures soit supérieur à 8 points ; dans notre exemple, cette affirmation est possible si le QI mesuré pour Paul est inférieur à 97.

Enfin n'oublions pas que le QI est défini comme un quotient, ce qui limite le sens des opérations arithmétiques que l'on peut réaliser avec cette mesure. En particulier, la somme de deux QI ne représente rien, la moyenne de deux QI pas grand-chose. Le QI n'est pas une mesure comparable à celle d'une masse ou d'une longueur ; il représente uniquement un repère, par rapport à une échelle de référence. Bien sûr, ceci est également le cas de diverses mesures physiques, la température par exemple ; mais, pour le QI, cette échelle de référence est elle-même fournie par la répartition des mesures dans une population choisie arbitrairement et ne peut être rattachée à des phénomènes stables observées dans la nature, comme l'ébullition de l'eau pour la fixation du point 100 des températures.

Le chiffre obtenu pour le QI permet simplement de situer chaque sujet par rapport à l'ensemble des individus de la population de référence : s'il obtient 100, il est égalé ou dépassé par la moitié de cette population, s'il atteint 115 par 16 % seulement, mais s'il n'a que 85 par 84 %. Il serait sans doute plus loyal d'indiquer ces pourcentages, plutôt que de donner l'illusion de manipuler, avec le QI, des mesures ayant un sens absolu [1].

1. Cette observation est importante, notamment pour préciser le sens des moyennes calculées à partir des QI : considérons deux familles, A et B, composées chacune de deux enfants. Les QI sont de 108 et 110 dans la famille A, 100 et 120 dans la famille B. Quelle est la famille ayant le QI le plus élevé en moyenne ?

On peut naturellement calculer les moyennes des QI : 109 pour A, 110 pour B, et conclure : B > A.

Mais on peut aussi, ce qui est plus conforme à la signification réelle du QI, dire que les enfants de A sont dépassés respectivement par 29,8 % et 25,5 % des individus de la population de référence, soit 27,6 % en moyenne, ce qui correspond à un QI de 109,0 ; de même dans la famille B ces pourcentages sont de 50 % et 9,3 %, soit une moyenne de 29,65 % correspondant à un QI de 108,0 ; d'où la conclusion : B < A.

Le QI ne permet donc pas de comparer sans ambiguïté deux familles. Ceci résulte de l'impossibilité d'additionner valablement deux QI ; or on ne peut calculer une moyenne sans faire une addition.

Ces difficultés n'empêchent pas certains psychologues de comparer, comme nous le verrons, des moyennes de populations ou de groupes sociaux, sans la moindre précaution.

A quoi sert le QI ?

C'est à la demande du ministère de l'Instruction publique que Binet mit au point les batteries de tests destinées à mesurer l'âge mental. L'objectif était de déceler les risques d'échec scolaire. Les tests retenus l'ont été en fonction de leur corrélation avec les résultats obtenus par les enfants dans leurs études. Des ajustements successifs ont permis de sélectionner des ensembles d'épreuves qui remplissent fort bien cet office. Le QI est, tout au moins en moyenne, un bon indicateur des chances de réussite, ou des risques d'échec, au cours de la scolarité.

Le QI est donc avant tout un instrument de pronostic ; ce qui n'est pas négligeable ; mais cet objectif est totalement différent d'une recherche de diagnostic. De plus, dans des sociétés comme les nôtres où la « réussite » tout au long de la vie professionnelle est très liée à la réussite scolaire, le QI constitue également un bon outil de prédiction des chances à venir du sujet.

Il n'est pas étonnant dans ces conditions que le QI observé chez les adultes soit très variable selon les groupes socioprofessionnels ; le constater ne correspond pas à une découverte mais résulte de la définition même de ce paramètre.

Rappelons que les premières batteries de tests proposées par Binet aboutissaient à un QI moyen des garçons supérieur à celui des filles ; des modifications ont été réalisées pour supprimer cet écart. S'appuyer maintenant sur l'égalité des QI moyens pour affirmer que « les filles et les garçons sont également intelligents » constituerait une ineptie ; cette égalité n'est que la conséquence des définitions adoptées. L'ineptie est semblable lorsque l'on constate que le QI est plus grand chez les professeurs que chez les ouvriers spécialisés ; cette constatation signifie que les professeurs ont mieux réussi dans leurs études que les O.S. ; est-il besoin de tests pour affirmer cette lapalissade ?

Il serait cependant injuste de dénier au QI tout intérêt : en plus de son usage dans la détection des risques d'échec scolaire, il s'est révélé un indice utile pour aider les enfants ayant des difficultés à l'école et qui obtiennent pourtant de bons résultats aux tests. L'important est de rester conscient des limites de cette mesure, et de l'utiliser plus comme une source de questions que comme une réponse. L'incroyable fortune du QI est sans doute liée à l'engouement pour tout ce qui parvient à s'entourer d'un parfum de mathématiques. Dans bien des cas, le QI n'est que le cache-misère de psychologues qui quantifient l'objet de leur étude avant même de l'avoir défini, ou d'avoir vérifié qu'il est définissable. Cette défaillance est particulièrement évidente lorsque certains d'entre eux utilisent des concepts génétiques et étudient « l'héritabilité de l'intelligence ».

QI et patrimoine génétique

Il s'agit de l'éternelle et fondamentale interrogation : dans quelle mesure sommes-nous déterminés, dans quelle mesure libres ? Sommes-nous le produit rigoureux de l'héritage génétique réuni par hasard à l'instant de notre conception ou le résultat de l'aventure humaine que nous avons vécue, subie, mais aussi un peu dirigée ? Ces questions ont été tant débattues au cours des siècles, avec des formulations adaptées à la pensée de chaque époque, que l'espoir de déboucher sur une conclusion claire, ayant la force d'une évidence scientifique, paraît bien faible. Il y a trois siècles, les positions de l'évêque hollandais Jansénius à propos de la « prédestination de la grâce divine » ont déclenché des discussions passionnées qui ont bouleversé l'Église ; il y a neuf ans, les réflexions du psychologue américain Arthur Jensen à propos de la « détermination génétique de l'intelligence » ont provoqué une querelle violente qui secoue encore les Universités. Les mots sont différents mais le problème est semblable : pour l'un il s'agit de Dieu et du salut de l'âme, pour l'autre des gènes et de la réussite sociale, pour tous deux de soumission à un destin, ou de prise en charge de son propre devenir.

Le grand changement vient du rôle attribué dans cette controverse à la science ; la plupart des déclarations que nous lisons actuellement sur ce sujet commencent par : « il est scientifiquement démontré que... » ou « la grande majorité des savants admettent que... » et se poursuivent par : « ... l'intelligence est déterminée à 80 % par le patrimoine génétique et à 20 % par le milieu » [88]. Cette phrase a été répétée tant de fois qu'elle a acquis le statut de vérité première ; or, elle n'a rigoureusement aucun sens.

Notons tout d'abord que l'intervention de pourcentages à propos de l'intelligence suppose que ce caractère est quantifiable ; en fait, il ne s'agit pas de l'intelligence mais du QI, ce qui n'est tout de même pas exactement le même objet. Surtout, ces pourcentages n'ont de sens que si les deux causes évoquées, hérédité et milieu, ont des effets indépendants et additifs ; je suis en droit d'affirmer que les recettes de l'État l'an prochain sont dues pour 56 % aux impôts directs, 44 % aux impôts indirects, car chacun comprend que la suppression des premiers réduirait ces recettes de 56 % ; mon affirmation a un sens car il y a effectivement, dans ce cas, additivité.

Le seul sens que pourraient avoir les pourcentages annoncés pour l'intelligence est le suivant : un enfant qui n'aurait reçu aucun apport du milieu aurait un QI de 80, un enfant qui n'aurait reçu aucun gène aurait un QI de 20. Ces phrases sont si absurdes que personne n'oserait les proférer mais l'absurdité est identique lorsque l'on prétend analyser le déterminisme de l'intelligence.

En fait, ces chiffres proviennent d'études de variances qui

peuvent être parfaitement légitimes mais qui ne permettent en aucun cas d'évoquer un déterminisme. Ces études reposent sur le concept d'héritabilité dont nous avons vu les difficultés et les limites au chapitre VI.

L' « héritabilité des biométriciens », qui mesure la ressemblance entre parents et enfants, ne peut évidemment avoir aucun intérêt pour l'étude du QI ; il est trop clair que cette ressemblance résulte à la fois de l'influence du milieu, de l'éducation, et de la proximité génétique. L' « héritabilité au sens strict » définie à partir des effets additifs des gènes ne peut être utilisée ici, car il est exclu que nous définissions les divers gènes ayant un effet direct sur la valeur du QI ou que nous puissions réaliser les croisements systématiques grâce auxquels les agronomes parviennent à une estimation indirecte de ce paramètre. Seule l' « héritabilité au sens large » peut nous être utile, pour analyser les écarts observés sur le QI (et non pas analyser le QI lui-même) en une part attribuable aux différences de milieux et une part attribuable aux différences génétiques.

Cette analyse suppose que nous puissions observer des individus semblables génétiquement et soumis à des influences différentes, c'est-à-dire des jumeaux « vrais » (monozygotes), élevés séparément. Mais le problème est ici d'obtenir des données suffisamment nombreuses et précises pour être exploitables ; les jumeaux ne représentent guère plus de 1 % des naissances, et un tiers seulement d'entre eux sont monozygotes ; l'expérience montre que, parmi ceux-ci, à peine 1 sur 1 000 sont séparés très jeunes. Il n'est donc pas étonnant que les études concernant les jumeaux monozygotes élevés séparément soient peu nombreuses et ne portent que sur des effectifs faibles : 19 paires pour l'étude classique de Newman, Freeman et Holzinger réalisée aux États-Unis en 1937, 44 pour celle de Schields en Grande-Bretagne en 1962, 12 pour celle de Juel-Nielson au Danemark en 1965, 53 pour celle de Burt en Grande-Bretagne en 1966.

Cette dernière étude concerne un effectif non négligeable, mais ses données posent un sérieux problème. Mort en 1971 à l'âge de 88 ans, Cyril Burt a véritablement régné sur les psychologues britanniques pendant près de trente années ; conseiller du gouvernement pour les problèmes d'éducation, il est l'auteur des études sur le QI des jumeaux qui sont, de très loin, le plus souvent citées. La conclusion de ses nombreuses publications était que l' « héritabilité au sens large » du QI, représentant la part des variations dues aux différences génétiques, était de l'ordre de 86 % [12] ; ses observations ont été largement utilisées par certains psychologues qui mettent l'accent sur le poids du patrimoine génétique dans l'activité intellectuelle. Mais une analyse des travaux de Burt, publiée en 1974 par le psychologue L. Kamin [45], révéla d'étranges coïncidences : dans une étude publiée en 1955 et portant sur 21 paires de jumeaux, Burt trouvait un coefficient de corrélation entre jumeaux élevés séparément de 0,771 ; une étude publiée en 1958 portant sur plus de 30 paires aboutissait encore à 0,771 ; enfin sa dernière publication de 1966 portant sur 53 paires toujours à 0,771. Cette étonnante constance a amené à regarder de plus près les méthodes de travail de C. Burt. Il est apparu qu'elles ne correspondaient guère à ce qu'il est convenu d'exiger d'une œuvre scientifique : les tests utilisés ne sont pas précisés, le sexe et l'âge des enfants ne sont pas toujours indiqués ; des doutes peuvent même être formulés sur l'existence réelle de certains des jumeaux étudiés. Bien plus, en 1976, le correspondant médical du *Sunday Times* constatait, après une longue et minutieuse enquête, que les deux collaboratrices qui cosignaient certains des articles de Burt et l'assistaient dans ses observations et dans ses calculs n'ont laissé aucune trace dans les registres de l'université de Londres où elles étaient censées travailler et n'ont peut-être jamais existé ! La paléontologie a eu son « affaire de Piltdown », la psychologie a son « affaire Burt » [34].

Récemment, certains psychologues favorables à Burt ont annoncé avoir retrouvé trace de l'une de ses collaboratrices. Ces péripéties rocambolesques sont de peu d'intérêt ; le seul problème est de savoir si les données laissées par Burt peuvent être utilisées dans un travail scientifique. Selon le chercheur le moins suspect de partialité à l'encontre de Burt, la réponse est : non. En effet, A. Jensen, qui est à l'origine de la querelle actuelle sur « intelligence et génétique » et qui s'était appuyé principalement sur les conclusions de Burt, a reconnu, avec beaucoup de clarté, que les observations de celui-ci « ne sont d'aucune valeur pour valider les hypothèses » [44, 89].

Parmi les autres études de jumeaux, seule celle de Schields porte sur un effectif important. Contrairement à Burt, l'auteur fournit toutes les précisions désirables sur ses observations ; mais celles-ci ne peuvent être utilisées sans précautions, car l'échantillon qu'il a étudié est bien peu représentatif de la population (deux fois plus de filles que de garçons, nombreux enfants issus de classes sociales très pauvres). De plus ces jumeaux, bien qu' « élevés à part », ont souvent vécu ensemble une part importante de leur enfance ; sur 44 paires, 31 étaient élevées par des familles apparentées, dont 4 suivaient les cours d'une même école. Il est difficile d'admettre que ces jumeaux subissaient des écarts d'environnement semblables à ceux d'individus pris au hasard.

Finalement, les données disponibles sont particulièrement pauvres : 31 paires chez Newman *et al.*, et Juel-Nielson, 13 paires réellement « élevées à part » chez Schields. Est-il sérieux d'affirmer sur une base aussi étroite que l'héritabilité du QI a telle ou telle valeur ? Dans l'article déjà cité [45], L. Kamin montre que les observations actuellement disponibles ne permettent pas de rejeter l'hypothèse d'une héritabilité nulle.

Une autre direction de recherche consiste dans l'observation des enfants adoptés ; en comparant la corrélation entre les QI de ces enfants et ceux, d'une part de leurs parents biologiques, d'autre part de leurs parents adoptifs, l'on peut espérer aboutir à une estimation de l' « héritabilité au sens large » de ce caractère. Il est clair que ce genre d'étude se heurte à des obstacles nombreux, notamment au fait que ni les enfants adoptés ni les parents adoptifs ne peuvent être considérés comme tirés au hasard dans la population.

L'exploitation des rares données disponibles a conduit Christopher Jencks, professeur de sociologie à Harvard, à une estimation de l'héritabilité du QI de 0,45 [42] ; plus précisément il a estimé que 45 % de la variance constatée pouvaient être attribués aux effets du patrimoine génétique, 35 % aux effets du milieu et 20 % à l'interaction entre le génome et l'environnement. Non seulement Jencks a tenté une estimation des 3 termes de l'équation fondamentale rappelée page 151, sans passer le troisième sous silence comme la plupart des chercheurs, mais il a fourni une estimation de l' « intervalle de confiance » des chiffres fournis. Cet intervalle est très large : ± 20 % ; autrement dit, les données aboutissent à une héritabilité comprise entre 25 et 65 %. Certes l'imprécision est grande, mais la rigueur consiste justement à afficher cette imprécision.

Finalement il nous faut admettre que nous sommes actuellement incapables d'avancer un chiffre solide pour l'héritabilité du QI ; l'honnêteté consiste à le reconnaître.

Ceci ne signifie pas que des recherches nouvelles, menées en respectant des protocoles précis, ne pourraient progressivement aboutir à des estimations ayant réellement une valeur scientifique. Les travaux nécessaires seront longs et coûteux ; avant de les entreprendre, n'est-il pas normal de s'interroger sur leur utilité ? Imaginons que dans dix ou vingt ans nous constations que le QI a une héritabilité de 0,43 ± 0,05 chez des paysans jurassiens, de 0,51 ± 0,06 chez les Esquimaux du Groenland, 0,70 ± 0,05 chez les Bassari du Sénégal ; à quoi ces résultats pourraient-ils servir ? Uniquement à prévoir, à l'intérieur de chacun des groupes, le QI moyen de la descendance de couples dont on connaît le QI. Mais dans cette prévision, il nous faudra tenir compte de l'imprécision des divers termes : si M. X et son épouse, paysans jurassiens, ont tous les deux un QI de 120 ± 10, leurs enfants auront des QI dispersés sur une plage ± 21 autour d'une moyenne dont l'intervalle de confiance va de 102 à 116, autrement dit ces enfants ont 95 chances sur 100 d'avoir un QI compris entre 86 et 132, alors que cette plage va de 70 à 130 pour un enfant pris au hasard dans le groupe.

Le peu de précision de l'information obtenue résulte en partie de la faible héritabilité (0,43 ± 0,05) que nous avons admise ; mais même une héritabilité élevée aboutit à un résultat presque aussi flou, le même calcul mené dans une population où elle est de 0,70 ± 0,05 donne comme plage de dispersion 95-133. Une conclusion aussi vague présente-t-elle le moindre intérêt ?

En fait, l'estimation de l'héritabilité du QI n'a nullement pour but ce genre de calcul ; dans la pratique elle n'est utilisée que par les chercheurs s'occupant d'un tout autre problème : l'analyse des écarts observés entre les classes sociales ou entre les races. Mais il s'agit justement d'un domaine où le recours au concept d'héritabilité ne peut rien apporter.

L'inégalité des QI selon les classes sociales et les races

Les premières réflexions de Jensen sur le déterminisme génétique du QI ont été exposées dans un article de la *Harvard Educational Review* en 1969 [43]. Son retentissement n'a été considérable qu'en raison des comparaisons effectuées entre les Blancs et les Noirs américains : de nombreuses mesures de QI faites dans les deux communautés montrent que la moyenne observée chez les Noirs est inférieure de 15 points à celle des Blancs. Or, disait Jensen, s'appuyant à l'époque sur les conclusions de C. Burt, les écarts de QI sont dus pour 80 % au patrimoine génétique ; l'infériorité intellectuelle des Noirs, telle qu'elle est mesurée par les tests, révèle donc une infériorité biologique innée, contre laquelle aucune action ne peut lutter.

Le mérite de cet article a été de dire crûment ce que beaucoup pensaient, et d'expliciter le raisonnement suivi. Que la conclusion soit agréable ou scandaleuse est affaire de sensibilité personnelle ; ce qui importe est de savoir si elle correspond à la réalité.

Ce que nous avons vu du concept d'héritabilité nous permet de dire que ce raisonnement est basé sur un contresens : l'héritabilité, qui ne peut être définie et mesurée qu'à l'intérieur d'un groupe, ne peut en aucun cas être utilisée pour l'analyse des écarts entre groupes. Les généticiens américains, M. Feldman et R. Lewontin [25], rendent sensible cette impossibilité par l'image suivante : chez les Parisiens, groupe dont les origines sont très variées, le teint plus ou moins foncé est un trait influencé très largement par des facteurs génétiques, donc hautement « héritable ». Comparons un groupe formé de Parisiens qui reviennent des sports d'hiver et un groupe resté à Paris ; pouvons-nous utiliser cette forte héritabilité pour prétendre que l'écart entre le teint plus foncé en moyenne des premiers, plus clair des seconds, est dû à une différence génétique ? Lorsque Jensen et les quelques psychologues qui ont suivi ses traces utilisent l'héritabilité du QI pour attribuer aux patrimoines génétiques les écarts de QI observés entre deux races, ils commettent une faute logique tout aussi lourde.

En dehors de ce contresens, qui enlève toute valeur au raisonnement, de multiples objections peuvent être faites à l'argumentation de Jensen. Certaines sont liées à ce que nous avons exposé au sujet de l'instabilité du QI ou de l'imprécision de sa mesure. D'autres, plus graves encore, concernent les rapports évidents entre les tests utilisés pour mesurer le QI et les caractéristiques propres de notre culture ; ces tests ont été mis au point sur des enfants ou des adultes de race blanche élevés en Europe ou en Amérique du Nord. Toutes les valeurs implicitement admises dans leur éducation sont nécessairement intervenues ; comment porter un jugement avec de tels tests sur des sujets baignant dans une culture totalement différente ?

Pour répondre à cette objection certains psychologues ont prétendu mettre au point des tests « culture free », c'est-à-dire dont le résultat serait indépendant de l'environnement culturel des sujets. Il s'agit là typiquement d'une « solution verbale » ; bien sûr, des épreuves « culture free » seraient fort intéressantes, mais peuvent-elles exister ? Leur objectif est de caractériser une activité intellectuelle, celle-ci de toute évidence n'a pu se développer qu'en fonction d'une certaine culture ; une intelligence sans culture n'a guère plus de réalité que l'enfant sans gène que nous avons évoqué.

Finalement, l'écart constaté aux États-Unis entre les Blancs et les Noirs peut entièrement être expliqué par le fait que ces deux groupes ne bénéficient pas du même environnement culturel, ce qui était connu avant de procéder à tant d'observations et de calculs. Quant aux conséquences que certains en ont tirées sur des écarts biologiques ou génétiques, elles reposent sur des raisonnements dépourvus de toute logique.

Des remarques semblables peuvent être faites à propos des écarts constatés entre les classes sociales ou les professions. Les affirmations les plus caricaturales à ce sujet figurent dans un livre récent du psychologue anglais Hans Eysenck [23]. S'appuyant sur les résultats « d'un certain nombre d'études empiriques effectuées dans différents pays » (le flou de la terminologie montre à quel point on est loin ici d'un discours scientifique), il dresse un tableau des QI des diverses professions, dont voici un extrait :

« 140 : Cadres supérieurs, professeurs, savants et chercheurs...

130 : Cadres moyens, chirurgiens, avocats...

...

100 : Vendeurs de grands magasins, conducteurs de train et de camion...

90 : Jardiniers, tapissiers... » (*Sic !*)

Combiné avec l'affirmation, affichée comme un dogme, que le QI est déterminé pour 80 % par le patrimoine génétique, un tel tableau veut démontrer que les inégalités sociales sont la conséquence des inégalités génétiques contre lesquelles personne ne peut rien. Il ne s'agit que d'un nouvel avatar du darwinisme social, que nous avons déjà évoqué.

Est-il sérieux, est-il honnête de répandre ce genre de classement sans prendre aucune des précautions respectées normalement par les chercheurs avant de mettre un nombre en face d'une rubrique ? Il est simplement ridicule de persuader les professeurs que leurs patrimoines génétiques sont plus favorables que ceux des avocats ou des chirurgiens. Mais il est criminel de persuader les « jardiniers » ou les « tapissiers » que leurs dotations génétiques les placent à la limite inférieure de l'échelle intellectuelle et que leurs enfants seront marqués dès la conception par cette infériorité.

La cuistrerie est si évidente que l'on est tenté de hausser les épaules et d'en rire. Mais, le sujet est grave : au nom de telles affirmations la vie entière de certains peut être sacrifiée, notamment au cours de l'éprouvante course d'obstacle qu'est devenue la scolarité. La ségrégation de groupes entiers, leur exploitation peuvent être présentées comme justes car conformes aux conclusions de la science. Face à une telle utilisation de leurs travaux, ne respectant aucune des règles qu'ils se sont imposées pour que les mots et les chiffres qu'ils manipulent aient un sens précis, le devoir des scientifiques est de dresser le barrage de la rigueur et de diffuser aussi largement que possible leur opinion. C'est ce qu'ont tenté les généticiens américains en organisant un large référendum.

En France, l'effort de clarification a pris une autre forme. Le Mouvement universel de la responsabilité scientifique a consacré son premier colloque, organisé à la Sorbonne en mars 1977, à une réflexion sur « Génétique et mesure de l'intelligence ». Durant deux jours, psychologues et biologistes ont confronté leurs méthodes et leurs concepts, l'objectif étant d'éviter les contresens lors du passage d'une discipline à l'autre. Le concept d'héritabilité a naturellement été au centre des débats. Les remarques que nous avons exposées ici doivent beaucoup aux travaux de ce colloque.

Le référendum de la Genetics Society of America

Les discussions provoquées par l'article initial de Jensen ont pris un tour si passionné que la Genetics Society of America, qui groupe environ 2 600 généticiens du Canada et des États-Unis, s'est efforcée de préciser la limite entre ce qui peut être considéré comme du domaine de la science et ce qui n'est qu'affirmation gratuite. Un premier texte a été diffusé en 1975. Il passait en revue les divers concepts et données impliqués dans la discussion (QI, héritabilité, différences entre classes et entre races...) et affirmait notamment :

— Les limites de la signification du QI sont particulièrement importantes lorsque l'on compare des enfants provenant de groupes ayant des cultures différentes ;
— bien qu'une composante majoritaire de la variation du QI à l'intérieur d'un groupe culturellement et économiquement homogène puisse avoir une base génétique, cette hypothèse reste à contrôler ;
— il n'existe aucune preuve convaincante d'une différence génétique de l'intelligence entre les races ;
— nous pensons que les généticiens peuvent et doivent s'exprimer en s'opposant aux usages de la génétique qui tirent des conclusions sociales et politiques de données inadéquates.

Plus de 1 100 réponses ont été reçues, 95 % d'entre elles affirmaient leur accord sur le texte diffusé. Craignant sans doute que les non-réponses ne correspondent en partie à une certaine opposition, la Société a diffusé en janvier 1976 un second texte comportant certaines nuances par rapport au premier ; sur les points retenus ci-dessus, il affirmait :

— L'interprétation du QI est particulièrement difficile lorsque les comparaisons sont effectuées entre des groupes de cultures différentes ; ces limites doivent être gardées à l'esprit dans toute analyse génétique ;

— bien que, de l'avis général, des facteurs génétiques soient responsables, dans une certaine mesure, des différences de QI constatées à l'intérieur des populations, ceux qui ont soigneusement étudié ce problème ont des avis divergents sur l'importance relative des influences génétiques et environnementales et sur leur interaction ;
— il n'existe aucune preuve convaincante permettant d'affirmer qu'il y a ou qu'il n'y a pas de différence génétique appréciable de l'intelligence entre les races ;
— nous pensons que les généticiens peuvent et doivent s'exprimer en s'opposant au mauvais usage de la génétique en vue d'objectifs politiques et à l'attitude qui consiste à tirer des conclusions d'ordre social à partir de données inadéquates.

Comme on peut le constater, le texte a été étudié à la loupe ; les nuances par rapport à la première version sont subtiles, mais n'altèrent guère la portée du référendum. Cette fois, 1 488 réponses sont parvenues, 94 % exprimaient leur accord [77].

Une majorité, même aussi massive, en faveur d'une certaine position, ne signifie pas que celle-ci correspond nécessairement à la vérité ; le prétendre constituerait un recours à l'argument d'autorité, que nous avons trop souvent dénoncé. Nous n'avons insisté sur ce référendum que pour montrer combien il est contraire à la vérité de présenter les thèses « jensenistes » comme approuvées par la presque totalité des scientifiques. Telle est pourtant l'argumentation essentielle d'un étrange livre paru récemment et qui, avec huit ans de retard, tente de répandre en France les idées initiales de Jensen sur « Race et intelligence » [37] ; les auteurs se sont d'ailleurs camouflés derrière un pseudonyme, ce qui, à défaut de leur courage, prouve leur lucidité sur le peu de valeur de leur travail. Accumulant les citations, ils s'efforcent de montrer que les opposants aux thèses « héréditaristes » sont une infime minorité d'« égalitaristes militants » soumis à la condamnation unanime du monde scientifique ; le référendum de la Genetics Society prouve que la réalité est exactement opposée.

Recherche de la vérité ou manipulation de l'opinion ?

Étaler publiquement un débat scientifique peut être bénéfique ; amener tout citoyen à réfléchir sur un sujet aussi important que les rapports entre le patrimoine génétique et l'activité intellectuelle, puis à exprimer l'opinion qu'il s'est forgée peu à peu à ce propos est un excellent exercice de démocratie. Mais le danger est grand d'une dégradation du débat d'idées en querelle de personnes, d'un remplacement de formulations précises et nuancées par des slogans et des étiquettes simplistes. La présentation que donnent du problème certains articles de presse illustre malheureusement ce danger. Les scientifiques y sont classés en deux catégories bien tranchées : les « héréditaristes » admettant que l'intelligence est déterminée avant tout par le patrimoine génétique, les « environnementalistes » prétendant, au contraire, que le milieu joue le plus grand rôle ; ces derniers, parmi lesquels se retrouvent la plupart des généticiens, sont également présentés comme des « égalitaristes » niant toute différence entre les potentiels biologiques des individus [3].

Cette dernière étiquette est particulièrement mensongère ; comment un généticien, dont le leitmotiv est la diversité, pourrait-il prétendre que tous les patrimoines génétiques sont « égaux » ! Il constate une merveilleuse diversité de ces patrimoines, tous sont différents ; mais différents n'est nullement synonyme d'« inégaux » ; deux hommes ne peuvent être qualifiés d'inégaux, au sens où l'un est supérieur à l'autre, que si l'on considère une seule de leurs caractéristiques ; pris globalement, ils ne peuvent qu'être différents ; ces deux mots sont loin d'être équivalents, l'un consacre une hiérarchie, l'autre non.

Les philosophes du XVIIIe siècle n'affirmaient pas que les

hommes sont égaux, ce qui n'aurait rien signifié, mais qu'ils sont « égaux en droits », ce qui exprime une volonté politique. Nous pouvons dire que les hommes d'aujourd'hui sont « inégaux dans leur accès aux richesses ou à l'éducation », ce qui exprime une constatation ; mais dire qu'ils sont « égaux » ou « inégaux » dans l'absolu est totalement dépourvu de sens [1].

Il faut condamner ces simplifications abusives qui ne peuvent servir qu'à manipuler l'opinion et s'efforcer de poser les problèmes en termes clairs.

Essayons pour conclure de dégager quelques points sur lesquels l'accord pourrait être assez général :

— L'activité intellectuelle nécessite un organe construit à partir d'une information génétique, et un apprentissage de cet organe au cours d'une certaine aventure humaine bien mal désignée par le mot « environnement ».

— L'ontegénèse du système nerveux central, comme celle de

1. Ce débat est typique d'une interprétation erronée de mots et de symboles forgés par les mathématiciens. Le terme « égal », représenté par le symbole = peut s'appliquer :

— soit à deux nombres réels : $x = y$ signifie que x et y ont la même valeur,

— soit à deux ensembles : $A = B$ signifie que A et B sont formés des mêmes éléments.

L'opposé du terme « égal » n'est pas le même dans les deux cas :

— s'il s'agit de nombres, la non-égalité signifie que l'un est supérieur à l'autre, ce qui s'écrit $x > y$ ou $y < x$,

— s'il s'agit d'ensembles, que leurs éléments ne sont pas tous identiques ; ils sont différents, ce qui s'écrit $A \neq B$.

Nous devons garder à l'esprit ces trois symboles

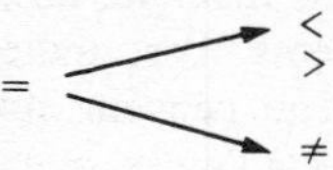

Constater que deux objets ne sont pas égaux n'entraîne que l'un est supérieur à l'autre que si ces objets sont des nombres ; dans tous les autres cas, on peut seulement affirmer qu'ils sont différents. Tout élève d'une classe de 6e trouvera qu'il s'agit là d'évidences. Il est remarquable que certains psychologues constatant une non-égalité concluent qu'il y a nécessairement supériorité et infériorité.

tout organe, est sous la dépendance du patrimoine génétique : mais ceci ne signifie pas que ce système soit génétiquement défini dans tous ses détails (J.-P. Changeux, par exemple, [14], insiste sur l'écart entre les ordres de grandeur du nombre de connexions entre neurones — 10^{14} — et du nombre de gènes — 10^{6}).

— L'outil intellectuel dont nous disposons à un instant donné résulte des informations génétiques que nous avons reçues, des matériaux dont nous avons disposés pour le construire, et de *l'usage que nous en avons fait :* ce dernier point essentiel, évident, est souvent passé sous silence.

— Deux individus quelconques ont nécessairement des patrimoines génétiques différents (les jumeaux monozygotes exceptés) et ont vécu des expériences différentes ; les outils intellectuels dont ils disposent sont bien sûr différents ; cette différence peut se traduire par un écart sur la caractéristique particulière de l'intelligence qu'est censé mesurer le QI. Mais nous n'avons aucun moyen (sous la même exception) d'attribuer cet écart à une cause ou à une autre (le concept d'héritabilité notamment ne peut être utilisé dans ce but).

— Deux groupes d'individus (par exemple deux « races » si nous nous estimons capables de les définir) disposent, dans l'ensemble, des mêmes gènes, mais avec des fréquences différentes. Les informations génétiques concernant l'ontogenèse cérébrale peuvent donc avoir des répartitions différentes d'une population à l'autre. Simultanément, les modes de vie, les cultures qui façonnent les facultés intellectuelles sont généralement très différenciées. Qu'un écart sur le « QI moyen » soit observé n'a rien de surprenant. Mais nous n'avons aucun moyen d'attribuer cet écart aux diverses causes (sans exception cette fois, car il n'existe pas de populations jumelles).

— Même si l'écart constaté entre les QI des Blancs et des Noirs des États-Unis correspond à une mesure objective, il est parfaitement illogique d'en conclure que le patrimoine génétique « moyen » de ces Noirs est « défavorable ». Aurions-nous montré que les différences individuelles au sein de chaque communauté sont explicables en presque totalité par des écarts génétiques, nous ne serions nullement en droit d'imputer à une différence génétique la différence constatée entre les moyennes des deux communautés. De façon générale, constater que les écarts individuels à l'intérieur d'une population sont dus à une cause définie ne permet pas d'attribuer à cette même cause des écarts entre populations.

— *Toute tentative de justification des inégalités sociales s'appuyant sur des mesures telles que le QI et des concepts tels que l'héritabilité constitue donc une utilisation frauduleuse des apports de la science. Tout programme prétendant améliorer le « potentiel intellectuel » d'un groupe au moyen de mesures eugéniques ne peut être qu'une escroquerie morale.*

Le fait qu'une recherche aboutisse à une « mesure » n'entraîne pas nécessairement qu'elle soit scientifique, opportune ou même simplement inoffensive. A titre d'analogie, Noam Chomsky (cité par L. Eisenberg dans *l'Unité de l'homme* [61, p. 803]) imagine que des psychologues ou des généticiens aient proposé aux autorités allemandes, au cours des années 1930, d'étudier dans la population juive la « capacité à s'enrichir », et de préciser la part du patrimoine génétique dans le déterminisme de ce caractère. Ces chercheurs auraient pu prétendre qu'il ne s'agissait que de faire progresser la connaissance ; ils auraient pu accuser d'éventuels opposants d'avoir peur de la vérité ; leur entreprise n'en aurait pas moins eu, pour unique finalité, la justification d'un génocide. Sans chercher des exemples imaginaires, il suffit d'évoquer certaines recherches de médecins nazis dans les camps d'extermination pour constater que les progrès de la connaissance ne peuvent tout justifier.

Il apparaît clairement que les réflexions sur l'« inné et l'acquis », le déterminisme ou la liberté, se sont fourvoyées dans une impasse en s'orientant vers la recherche de l'héritabilité du QI. Ce concept, mis au point et utilisé par les généticiens chargés d'améliorer certains caractères quantitatifs bien définis des plantes et des animaux, ne peut être d'aucune utilité pour les études concernant l'Homme. C'est en raison de cette évidence logique que certains généticiens américains ont proposé de cesser les recherches dans cette direction. Il ne s'agit nullement, comme l'ont prétendu certains psychologues, d'une marque d'obscurantisme délibéré, ou d'un refus de connaître la vérité ; il s'agit de tirer la conséquence d'une analyse précise des objets et des concepts manipulés. Les discussions sur le sexe des anges ont, durant toute une période, mobilisé d'excellents esprits, en pure perte. Les recherches sur l'héritabilité du QI ne sont-elles pas tout aussi vaines ?

Une réponse exacte à une question mal posée, ou trop partielle, peut constituer une tromperie. Nous savons maintenant que la science ne peut être neutre ; son objectif principal ne doit pas être de répondre aux questions, mais de préciser le sens de ces questions.

8. La tentation d'agir

L'explosion démographique que vit actuellement l'Humanité rend évidente la nécessité de prendre en charge le devenir de notre nombre. Agir sur notre effectif est urgent ; n'est-il pas naturel de traiter simultanément le qualitatif et le quantitatif, de nous efforcer simultanément d'« améliorer » les hommes ?

L'explosion démographique

L'histoire démographique de l'Humanité peut être résumée, sans trop simplifier, en distinguant trois périodes séparées par deux « révolutions ».

Pendant la période préhistorique l'effectif total des hommes sur toute la surface de la terre a été de l'ordre de la centaine de mille ou du million. Selon J.N. Biraben, à qui nous empruntons les chiffres suivants [6], cet effectif est passé de 7 à 800 000 vers l'an 35 000 av. J.-C. à 7 à 8 millions vers l'an 10 000 av. J.-C. ; la lenteur de cette progression, la faiblesse de ce nombre s'expliquent par la limitation des ressources de populations vivant de cueillette et de chasse.

La première « révolution démographique » est apportée par l'invention de l'agriculture. Rapidement, l'effectif grandit, passant de 7-8 millions à 80 millions en l'an 5 000 av. J.-C. La progression se ralentit ensuite : 250 millions au début de notre ère, 800 millions à la fin du XVIIIe siècle.

Se produit alors la seconde révolution démographique : le succès enfin obtenu dans la lutte contre la maladie et la mort, notamment la mort des enfants ; grâce à une médecine plus efficace et surtout à une hygiène plus raisonnable, l'espérance de vie grandit (ainsi en France 38 ans d'espérance de vie pour les femmes à la fin du XVIIIe siècle, 76 ans, exactement le double, actuellement ; la proportion d'enfants qui meurent avant 15 ans passe simultanément de 34 % à 3 %). La conséquence est une allure toute nouvelle de la courbe de l'effectif humain : à une croissance lente et sensiblement linéaire succède une croissance exponentielle véritablement explosive : 1,2 milliard en 1850, 1,6 milliard en 1900, 2,5 milliards en 1950, 3,6 milliards en 1970, plus de 4 milliards aujourd'hui, 6 milliards avant la fin de ce siècle.

Au rythme actuel trois années suffisent pour ajouter à l'Humanité autant d'hommes qu'il en vivait au temps de Jésus-Christ.

Essayons d'illustrer cette explosion par une comparaison : depuis l'émergence de l'Homo Sapiens, peu importe à quelle date on la situe, le nombre des années vécues par l'ensemble des hommes est de l'ordre de deux mille milliards ; les hommes qui sont vivants aujourd'hui, nos 4 milliards de contemporains, ont vécu ou vivront à eux tous environ deux cent milliards d'années ; autrement dit, les hommes actuellement vivants accumuleront à eux seuls une durée vécue égale au dixième de celle de l'ensemble de l'Humanité depuis son origine. Si la tendance actuelle continuait, l'Humanité vivrait au cours du seul XXIe siècle, la moitié des années vécues depuis son origine.

Ce développement exponentiel, qui peut paraître un phénomène parmi d'autres, tant sa description par les chiffres camoufle sa réalité, ne peut qu'aboutir à une catastrophe si une action collective ne se développe pas rapidement.

Certes, on peut différer sensiblement d'avis sur le nombre maximal d'hommes que la terre peut porter et nourrir ; des études sérieuses, mais dont les résultats sont naturellement fort divergents, ont été effectuées à partir des ressources alimentaires, énergétiques, ou en eau. Contentons-nous, pour évaluer le « butoir » final de cette expansion, d'évoquer la ressource qui prête le moins à discussion : l'espace. La surface totale des terres émergées est de 150 millions de km^2 ; la reconquête des déserts, des terres glacées du Groenland et de l'Antarctique, l'aménagement des montagnes, de façon à généraliser sur la terre entière la densité actuelle du Japon (300 habitants par km^2) ne permettraient pas de dépasser 45 milliards d'habitants ; au rythme actuel de progression, 1,9 % par an, cette limite est atteinte peu après l'an 2100, c'est-à-dire dans 5 générations.

Admettons que, comme dans certaines régions surpeuplées d'Asie, l'on s'efforce alors d'organiser la vie sur l'eau et que l'on parvienne à généraliser la densité 300 h/km^2 à l'ensemble de la planète, continents et océans ; cet aménagement permettrait d'atteindre un effectif de 150 milliards. Ce chiffre peut paraître considérable, apportant une certaine marge ; en fait, toujours au rythme actuel de développement, il est atteint vers la fin du XXIIe siècle, dans deux cents ans.

Les querelles sur l'effectif maximal de l'Humanité sont donc bien vaines ; même si elles portent sur des écarts de plusieurs dizaines de milliards d'individus, elles ne se traduisent, dans la durée, que par quelques dizaines d'années : un écart du simple au double de l'effectif maximal ne correspond, au rythme actuel d'accroissement, qu'à un écart de trente-cinq années, à peine plus d'une génération, pour la date à laquelle ce maximum est atteint.

Voulue ou subie, la troisième révolution démographique, c'est-à-dire le passage d'un rythme exponentiel à une quasi-stabilité, ne peut être évitée. Le choix est entre l'abandon des conquêtes médicales qui nous permettent de vaincre si souvent la maladie, ou la limitation des naissances. Peu d'hommes acceptent la première, il faut alors regarder en face les conséquences de la seconde.

Dans de nombreux pays de civilisation occidentale cette révolution est certes déjà réalisée, ce qui empêche leurs habitants de prendre une réelle conscience du problème global. Dans certains même, l'objectif de la stabilité a été dépassé et une décrue est amorcée. Mais, il ne s'agit que de phénomènes locaux, sans grande influence sur l'évolution globale : il reste moins d'un siècle pour étendre à l'ensemble de l'Humanité le nouveau régime, pour que la moyenne des taux de croissance soit nulle.

Un tel bouleversement aura, de toute évidence, des conséquences innombrables sur l'organisation sociale et les attitudes individuelles ; il modifiera le régime de transmission des cultures et des patrimoines génétiques. Bornons-nous ici à un aspect très particulier, peu souvent évoqué : les conséquences des décalages dans l'atteinte du nouveau régime, et surtout de la variance des taux de croissance une fois le régime stable atteint.

Les conséquences d'un nouveau régime démographique

Accepter la croissance zéro, c'est accepter une culture où le droit de procréer est soumis, soit à une réglementation extrêmement sévère (comme dans certains États de l'Inde depuis peu), soit à une pression sociale qui élimine dans la pratique des écarts à un comportement « normal » (comme dans les actuelles sociétés occidentales). Une telle culture a des caractéristiques découlant directement de la structure par âge de la population. La célèbre « pyramide » des âges est remplacée (pour garder des images liées à l'antiquité égyptienne) par un « obélisque » ; les classes d'âges successives qui avaient des effectifs régulièrement décroissants ont désormais des effectifs pratiquement constants, jusqu'aux classes les plus anciennes (plus de 80, 90 ou 100 ans) qui sont, elles, en extinction rapide.

Illustrons ces deux régimes par des cas actuels réels, d'une part les populations du Mexique et de l'Égypte, du modèle « pyramide », d'autre part la République fédérale d'Allemagne et la Hongrie, du modèle « obélisque »; les répartitions y sont telles que :

	0-14 ans	15-64 ans	+ de 65 ans	
Mexique	46,2 %	50,1 %	3,7 %	« Pyramide »
Égypte	42,4 %	54,4 %	3,2 %	
RFA	23,2 %	63,6 %	13,2 %	« Obélisque »
Hongrie	20,2 %	67,4 %	12,4 %	

Il suffit de comparer ces nombres pour imaginer facilement combien les dynamiques internes de ces sociétés peuvent être différentes ; indépendamment des régimes politiques ou des idéologies dominantes, le poids des anciens, la poussée des jeunes, la charge supportée par les adultes ont des importances tout autres ; les mécanismes mis en place par des sociétés où les contraintes numériques sont aussi différentes sont nécessairement divergents.

Un décalage entre les dates auxquelles les diverses sociétés entament la « troisième révolution démographique » entraîne donc un clivage, des tensions, dont les conséquences sont difficilement prévisibles. Les différences culturelles, qui sont à l'origine de ces décalages, ne peuvent être qu'accentuées par les conséquences mêmes des évolutions numériques divergentes qu'elles entraînent ; nous sommes en face d'un processus qui ne sécrète pas sa propre régulation, contrairement à la plupart de ceux que l'on rencontre aussi bien dans le monde vivant que dans le monde inanimé. Il s'agit donc d'un phénomène explosif que nos esprits sont mal préparés à prendre en compte dans toute son ampleur ; nous sommes habitués à ne rencontrer que des phénomènes autorégulés ; la raison en est que les phénomènes non autorégulés ne peuvent être durables, nous ne pouvons en avoir qu'une expérience très limitée ; mais, il serait absurde d'en conclure qu'ils n'existent pas ou ne doivent pas être envisagés.

Le décalage dans l'atteinte de la nécessaire stabilité démographique a des conséquences évidentes sur les rapports des effectifs des divers groupes humains. Le taux actuel d'accroissement du nombre des hommes, 1,9 % par an, est une moyenne cachant des écarts décisifs entre des populations comme celles de l'Europe de l'Ouest qui ont déjà atteint la stabilité, et d'autres qui connaissent des accroissements supérieurs à 4 %.

Lorsque vers 1920, le Mexique émergea d'une longue période de révolutions et de massacres, son effectif était au même niveau que quatre siècles plus tôt lors de l'arrivée des conquérants espagnols, 14 millions d'habitants, à peine plus du tiers de la population française. Un demi-siècle plus tard, en 1970, le Mexique et la France ont des effectifs semblables, 50 millions ; mais le taux annuel d'accroissement est de 3,4 % au Mexique avec une tendance à l'accélération (il n'était que de 2,7 % en 1950, de 1,1 % en 1930) alors qu'il est inférieur à 0,5 % et tend vers zéro en France ; dans l'hypothèse où ces tendances se maintiendraient jusqu'à la fin du siècle, la population du Mexique dépasserait 130 millions d'hommes en l'an 2000, alors qu'elle n'atteindrait pas 60 millions en France : il suffira d'un décalage d'une génération pour que le rapport des effectifs passe de 1 à plus de 2.

Ces renversements mettent bien sûr en cause les rapports de forces entre groupes. Ceux-ci ne dépendent pas seulement des effectifs, mais la pression des effectifs peut entraîner des réactions de défense de la part de ceux qui sentent cette composante de leur puissance peu à peu leur échapper.

Les modifications à venir entraîneront nécessairement, soit un bouleversement des prépondérances culturelles, soit un recours de plus en plus accentué aux moyens de pression indépendants de l'effectif, c'est-à-dire, par définition, non démocratiques.

Une chose est sûre, le monde de la fin de ce siècle sera différent de l'actuel à la fois par son état et par la vitesse de son changement. Notre esprit est habitué aux extrapolations confortables, mais on n'extrapole pas une explosion.

Mes enfants sont nés dans un monde comptant 2,6 milliards

d'hommes ; quand ils auront mon âge, plus de 6 milliards d'hommes les entoureront. Ce déluge d'hommes qui submerge notre terre semble donner du poids aux discours de ceux qui préconisent une politique de sélection, de qualité : dans cette masse énorme, disent-ils, décelons les meilleurs pour leur donner les moyens d'un total épanouissement ; quant aux autres, le sort béat des « Epsilons » imaginés par Aldous Huxley n'est-il pas le mieux qu'ils puissent espérer ?

Recours passés et allusions actuelles à l'eugénique

Cette action sur la « qualité » des hommes est une attitude adoptée par de nombreux groupes : un cas extrême est représenté par le petit village de Tenganan dans l'île de Bali, étudié par G. Breguet [11] ; en raison de son option religieuse, il est, depuis le XIVe siècle, totalement isolé génétiquement des villages environnants. Le dieu Indra, fondateur mythique de la communauté, exige un corps parfait de ceux qui le servent au cours des cérémonies ; il est interdit aux porteurs de « tares » (cécité, bec-de-lièvre, lèpre, oreille déchirée, ...) de participer à la procréation.

Ce n'est là qu'un village de 300 personnes. Des mesures eugéniques concernant des communautés autrement plus nombreuses sont présentes à l'esprit de tous.

L'Allemagne nationale-socialiste est, certes, le pays qui a traité le problème avec le plus de détermination ; des textes législatifs organisaient dès 1933 la stérilisation de certains sujets, l'orientation des mariages, la mise à l'écart de certaines ethnies. « L'amélioration de la race » était assurée aussi bien par l'élimination des individus tarés que par l'organisation de razzias systématiques, en Pologne par exemple, durant l'occupation ; des centaines de milliers de petites filles, ayant des caractéristiques jugées favorables, ont été envoyées dans des familles allemandes, où elles devaient être élevées jusqu'à leur puberté, avant d'être fécondées par de jeunes SS. Tout était prévu, chacune devait fournir 3 enfants, après quoi elles auraient été éliminées [39]. Les organismes responsables, à tous niveaux, étaient conseillés par des généticiens. C'est un généticien, dont la valeur scientifique n'est pas en cause, Otmar von Verschuer, directeur de l'Institut d'anthropologie, d'hérédité humaine et d'eugénique de Berlin, qui, dans un livre très documenté traduit en Français en 1943 [87], constatait avec enthousiasme que : « le chef de l'ethnempire allemand est le premier homme d'État qui ait fait des données de la biologie héréditaire un principe directeur de la conduite de l'État ». S'appuyant sur des considérations génétiques, il affirmait : « La politique du présent exige une solution nouvelle et totale du problème juif » et annonçait (en 1943, rappelons cette date avec tout ce qu'elle comporte) : « La question tsigane sera bientôt réglée. » Voilà ce que peuvent écrire, à quoi peuvent se prêter des scientifiques.

Il y a d'autres exemples, moins dramatiques sans doute, mais qui dénotent un état d'esprit bien voisin.

Aux États-Unis, pays d'intense immigration, l'idée que les difficultés surgissant dans le fonctionnement de la société résultaient de la mauvaise qualité des nouveaux immigrants était facilement acceptée. La découverte des « lois de l'hérédité » permit de donner à ce sentiment une justification d'apparence biologique. Dans une remarquable, étude Jon Beckwith [2], de la Harvard Medical School, fournit de nombreuses citations révélatrices de cet état d'esprit. Le généticien Davenport affirmait ainsi : « Les réformes sociales sont vaines, la seule méthode en vue de préserver le potentiel inné est de surveiller la reproduction », tandis que le Pr Mc Dougall, président du Département de génétique de Harvard, préconisait « le remplacement de la démocratie par un système de castes basées sur les capacités biologiques et de lois limitant la reproduction des castes inférieures et les mariages entre castes ».

Ces déclarations aboutirent dans certains cas à des mesures concrètes, notamment la stérilisation des individus porteurs de tares considérées comme transmissibles. Dans sa revue très détaillée de ce problème, J. Sutter [82] précise que les législations de certains États visaient les « pervertis sexuels », dans d'autres les « criminels habituels » ou les syphilitiques. Entre 1907 et 1949, 50 000 stérilisations ont été pratiquées dans 33 États, dont près de la moitié sur des « faibles d'esprit ». D'autres mesures visaient la suppression des mariages entre races, noire et blanche bien sûr, mais aussi blanche et jaune. Ce n'est qu'en 1967, que ces lois ont été déclarées anticonstitutionnelles.

Mais la décision la plus importante concerna l'immigration ; un comité national fut chargé d'étudier le risque de détérioration du patrimoine génétique du pays dû à l'afflux d'individus issus de populations inférieures ; le Pr Brigham, psychologue, conseiller de ce comité, note dans un rapport officiel : « Le déclin de l'intelligence est entraîné par l'immigration des Noirs et des races alpines et méditerranéennes. » Il demande que « l'immigration soit non seulement restrictive, mais hautement sélective » et préconise des « mesures dictées par la science et non par la politique ». Ces mesures furent prises : il s'agit du célèbre Immigration Act de 1924 qui limite sévèrement l'immigration à partir des pays du sud ou de l'est de l'Europe.

Pour l'honneur de Brigham, signalons toutefois que, en 1930, il parle de son étude comme « une des plus prétentieuses de ces études raciales comparatives » et dit qu'elle était « sans fondement ». Mais l'Immigration Act n'a pas, pour autant, été rapporté aussitôt ; il fallut attendre 1962 pour que le Congrès le modifie.

Peu de responsables politiques ou scientifiques se risquent maintenant à préconiser des mesures ouvertement eugéniques, mais bien des déclarations visent à y préparer les esprits, ainsi cette phrase d'un responsable de haut niveau de la politique d'éducation en France, écrivant dans un journal du soir :

> Le potentiel *génétique* de succès est plus grand, statistiquement, dans la descendance des individus qui ont su, mieux que les autres, s'assurer une réussite [13].

On imagine combien il est facile de justifier, à partir d'une telle affirmation, un « meilleur des mondes » à la Huxley. Dès que l'on admet que le rôle joué dans la société, les services rendus à celle-ci sont directement liés à la dotation génétique de chacun, il est naturel de songer à orienter la reproduction humaine. Or nous allons vers une société où nécessairement le droit à la reproduction sera limité ; il est dès lors presque inéluctable d'aboutir au raisonnement de Bentley Glass (cité dans [2]) :

> Le droit qui doit devenir le droit suprême n'est plus celui de procréer, mais celui qu'a chaque enfant de naître avec une constitution physique et mentale saine, basée sur un génotype sain.

C'est ce dernier membre de phrase qui fait problème. Admettons le droit des enfants à naître avec un « phénotype sain » ; tout ce que nous avons évoqué au cours de ce livre nous montre que le passage à un « génotype sain » n'est pas aussi simple que B. Glass semble le supposer. Comment juger de la qualité d'un génotype ?

La difficulté de juger

Nous sommes habitués à juger un phénotype : telle caractéristique peut être valablement déclarée bonne ou mauvaise ; même si des avis divergents peuvent être émis, un certain consentement général apparaît souvent. Bien sûr, ce jugement est fonction d'un certain milieu, et d'un certain objectif : avoir une mentalité de Kamikaze est défavorable, en général à l'individu, mais peut être hautement favorable à la société si elle utilise cette attitude pour mieux se défendre dans un conflit. Nous sommes habitués à inverser nos jugements lorsque les conditions ou les objectifs changent.

Une telle souplesse ne peut être valable dans l'univers des génotypes, car un gène est infiniment plus durable que l'individu qui le porte. Nous avons déjà évoqué cette difficulté à propos du diabète : certaines des associations géniques responsables de cette affection sont sans doute favorables en période de famine ; comment porter un jugement sur ces génotypes qui se transmettront pendant des millénaires et seront alternativement maléfiques ou bénéfiques ?

De même pour le fameux gène de l'hémoglobine anormale S ; responsable de la mort des homozygotes, il protège les hétérozygotes contre le paludisme. Si l'objectif est la survie d'un groupe installé dans une région impaludée, ce gène, mortel pour certains, est hautement favorable ; sans lui le groupe disparaît.

Nous avons évoqué au chapitre v, à propos des théories de l'évolution, les raisonnements présentés comme « non darwiniens ». Ces raisonnements tentent d'expliquer l'évolution du monde vivant en faisant le recours le plus limité possible au concept difficile de « valeur sélective » ; ils ne nient pas l'existence de pressions sélectives, mais renoncent à démêler leur imbroglio ; ils se développent « comme si » le réel n'était, à chaque instant, que le résultat d'un tirage au sort, boule désignée par le hasard dans l'urne où s'élabore l'infinité des possibles. Cette attitude correspond à un aveu d'impuissance face au jugement que nous devrions porter sur chaque gène pour décider de sa valeur sélective. En renonçant à de tels jugements, on élabore une théorie dont le pouvoir explicatif n'est certes pas total, mais fort correct. L'hypothèse de « gènes neutres » n'est pas seulement un contraste mathématique à l'hypothèse de « gènes sélectionnés », elle sous-tend une certaine conception de ce que nous avons appelé l' « univers des génotypes ». Les jugements manichéens, unidimensionnels, exprimés par un repère entre les deux références que constituent le Bien et le Mal, n'ont guère leur place dans cet univers ; la « neutralité » des gènes correspond à un refus d'entrer dans un modèle trop simpliste, caricature déformée de la richesse du réel.

Ce jugement que nous ne pouvons, sauf cas extrêmes, porter sur les gènes, est-il concevable de le porter sur les collections de gènes, c'est-à-dire sur le patrimoine génétique collectif d'une population ? Le critère n'est plus l'avenir de tel gène, ou, à plus court terme, l'avenir de tel individu, mais l'avenir d'un groupe humain dans son ensemble, sa capacité à se renouveler, à lutter, de génération en génération, contre l'érosion du temps. Cette lutte est d'autant plus efficace que les possibilités de transformation, d'adaptation à un milieu changeant sont plus larges, donc que la collection de gènes est plus variée. Même si nous renonçons à distinguer les « bons » et les « mauvais » gènes, nous pouvons préciser ce qu'est un « bon » patrimoine génétique collectif : il doit être divers. Ce qui importe n'est pas le niveau moyen des valeurs associées aux gènes présents dans ce patrimoine, mais la diversité de ces valeurs.

Bien des développements basés sur le « théorème fondamental de la sélection naturelle », que nous avons évoqué à propos des théories de l'évolution, reposent sur une confusion entre la moyenne des valeurs sélectives des individus qui composent une population et la valeur sélective de la population elle-même ; cette confusion est du même ordre que celle mise en évidence par les mathématiciens qui insistent sur la différence entre un « élément » d'un ensemble et une « partie » d'un ensemble, entre la notion d'appartenance et la notion d'inclusion. La valeur sélective d'un individu se réfère à sa capacité à lutter contre les autres individus du même groupe ; la valeur sélective d'une population se réfère à sa capacité à lutter contre les autres groupes, de la même espèce ou d'autres espèces, à l'intérieur d'un certain biotope. Les deux concepts sont définis dans des univers distincts ; tous deux sont fonction des fréquences des divers gènes, mais ces fonctions peuvent fort bien avoir des allures différentes : on peut facilement imaginer des situations où, tous les individus s'approchant de la valeur sélective individuelle maximale, le groupe devient homogène et perd toute capacité à se structurer, à s'organiser au mieux.

Cette distinction est importante pour notre compréhension de l'évolution. La fameuse « lutte pour la vie » qui, selon Darwin, en est le moteur, s'exerce à deux niveaux : la concurrence entre individus au sein d'une population et la concurrence entre populations dans un milieu aux ressources limitées. Cette distinction est essentielle pour le développement des raisonnements qui cherchent à fonder une eugénique.

Dans cette perspective, la valeur génétique d'un individu pour la collectivité n'est pas fonction de la qualité propre des gènes qu'il possède, mais du fait que ces gènes ne sont pas communs. Il ne s'agit plus alors d'« améliorer les individus », mais de préserver la diversité. L'objectif d'une gestion consciente, raisonnée, du patrimoine génétique n'a donc rien à voir avec celui des promoteurs de l'eugénique : il n'est plus d'éliminer les mauvais gènes et de favoriser les bons, mais de sauvegarder la richesse génétique que constitue la présence de gènes divers. Nous sommes loin de la position simpliste consistant à proposer diverses mesures (prohibition de certaines unions, stérilisations...) pour favoriser l'amélioration de la qualité génétique d'une population en multipliant les « bons » gènes.

L'eugénique est sans doute l'exemple extrême d'une utilisation perverse de la science : c'est au nom de la science que les pires horreurs ont été proposées et parfois réalisées. Ces abus conduisent beaucoup de nos contemporains à s'interroger sur le bien-fondé de l'effort scientifique : ce qui semblait œuvre de libération est devenu suspect, tant cet effort risque de déboucher sur une prise de pouvoir par quelques-uns et l'aliénation du plus grand nombre. Le progrès de la connaissance, longtemps synonyme de progrès de l'Humanité, ne va-t-il pas aboutir à l'inféodation sinon à l'anéantissement de notre espèce ? Cette angoisse largement partagée explique le succès rapide du Mouvement universel de la responsabilité scientifique fondé il y a trois ans par Robert Mallet. Nous avons vu que, cette responsabilité, le MURS l'a exercée en premier lieu à propos des réflexions sur « Génétique et mesure de l'intelligence », mais bien d'autres domaines exigent un effort semblable.

Éloge de la différence

Nous venons de constater que la richesse génétique est faite de la diversité. Il semble clair que cette constatation dépasse le champ de la biologie : la richesse d'un groupe est faite « de ses mutins et de ses mutants », selon l'expression d'Edgard Morin [60]. Il s'agit de reconnaître que l'autre nous est précieux dans la mesure où il nous est dissemblable. Et ce n'est pas là une morale quelconque résultant d'une option gratuite ou d'une religion révélée, c'est directement la leçon que nous donne la génétique.

Est-ce prêcher la tolérance ? Quel vilain mot ! On connaît la déplaisante réponse de P. Claudel, à qui l'on reprochait son intolérance : « La tolérance, il y a des maisons pour ça ! » Tolérer, c'est accepter du bout des lèvres, c'est bien vouloir, c'est, de façon négative, ne pas interdire ; cela sous-entend un rapport de forces où celui qui domine consent, condescend à ne pas user de son pouvoir. Celui qui tolère se sent bien bon de tolérer, celui qui est toléré se sent doublement méprisé, pour le contenu de ce qu'il représente ou de ce qu'il professe et pour son incapacité à l'imposer. L'intolérance, autodéfense du faible ou de l'imbécile, est certes une marque d'infantilisme, mais la tolérance, concession accordée par le puissant sûr de lui, n'est que le premier pas vers la reconnaissance de l'autre ; d'autres pas sont nécessaires, qui aboutissent à l'« amour des différences » (L. Dubertret [22]).

L'amour des différences

« Si je diffère de toi, loin de te léser, je t'augmente », Saint-Exupéry, *Lettre à un otage*. Cette évidence, tous nos réflexes la nient. Notre besoin superficiel de confort intellectuel nous pousse à tout ramener à des types et à juger selon la conformité aux types ; mais la richesse est dans la différence.

Beaucoup plus profond, plus fondamental, est le besoin d'être unique, pour « être » vraiment. Notre obsession est d'être reconnu comme une personne originale, irremplaçable ; nous le sommes réellement, mais nous ne sentons jamais assez que notre entourage en est conscient. Quel plus beau cadeau peut nous faire l'« autre » que de renforcer notre unicité, notre originalité, en étant différent de nous ? Il ne s'agit pas d'édulcorer les conflits, de gommer les oppositions ; mais d'admettre que ces conflits, ces oppositions doivent et peuvent être bénéfiques à tous.

La condition est que l'objectif ne soit pas la destruction de l'autre, ou l'instauration d'une hiérarchie, mais la construction progressive de chacun. Le heurt, même violent, est bienfaisant ; il permet à chacun de se révéler dans sa singularité ; la compétition, au contraire, presque toujours sournoise, est destructrice, elle ne peut aboutir qu'à situer chacun à l'intérieur d'un ordre imposé, d'une hiérarchie nécessairement artificielle, arbitraire.

La leçon première de la génétique est que les individus, tous différents, ne peuvent être classés, évalués, ordonnés : la définition de « races », utile pour certaines recherches, ne peut être qu'arbitraire et imprécise ; l'interrogation sur le « moins bon » et le « meilleur » est sans réponse ; la qualité spécifique de l'Homme, l'intelligence, dont il est si fier, échappe pour l'essentiel à nos techniques d'analyse ; les tentatives passées d'« amélioration » biologique de l'Homme ont été parfois simplement ridicules, le plus souvent criminelles à l'égard des individus, dévastatrices pour le groupe.

Par chance, la nature dispose d'une merveilleuse robustesse face aux méfaits de l'Homme : le flux génétique poursuit son œuvre de différenciation et de maintien de la diversité, presque insensible aux agissements humains ; l'« univers des phénotypes », où nous vivons, n'a fort heureusement que peu de possibilités d'action sur l'« univers des génotypes », dont dépend notre avenir [1]. Transformer notre patrimoine génétique est une tentation,

1. Le seul cas où l'homme puisse espérer avoir prochainement une prise réelle sur les gènes qu'il transmet est le choix du sexe des enfants. Selon que le spermatozoïde qui féconde l'ovule est porteur d'un chromosome Y ou d'un

mais cette action restera longtemps, espérons-le, hors de notre portée.

Cette réflexion peut être transposée de la génétique à la culture : les civilisations que nous avons sécrétées sont merveilleusement diverses et cette diversité constitue la richesse de chacun de nous. Grâce à une certaine difficulté de communication, cette hétérogénéité des cultures a pu longtemps subsister ; mais, il est clair qu'elle risque de disparaître rapidement. Notre propre civilisation européenne a étonnamment progressé vers l'objectif qu'elle s'était donné : le bien-être matériel. Cette réussite lui donne un pouvoir de diffusion sans précédent, qui aboutit peu à peu à la destruction de toutes les autres ; tel a été le sort, pour ne citer qu'un exemple parmi tant d'autres, des Esquimaux d'Ammassalik, sur la côte est du Groenland, dont R. Gessain a décrit la mort culturelle sous la pression de la « civilisation obligatoire » [33].

Lorsque l'on constate la qualité des rapports humains, de l'harmonie sociale dans certains groupes que nous appelons « primitifs », on peut se demander si l'alignement sur notre culture ne sera pas une catastrophe ; le prix payé pour l'amélioration du niveau de vie est terriblement élevé, si cette harmonie est remplacée par nos contradictions internes, nos tensions, nos conflits. Est-il encore temps d'éviter le nivellement des cultures ? La richesse à préserver ne vaut-elle pas l'abandon de certains objec-

---

chromosome X, l'enfant est garçon ou fille. Il est très probable qu'avant peu d'années il sera possible de séparer ces deux catégories de spermatozoïdes et, en ayant recours à la fécondation artificielle, de concevoir un enfant du sexe souhaité. De nombreuses études ont cherché à préciser les conséquences d'un tel « progrès » sur nos sociétés. Certaines imaginent un déséquilibre considérable entre les effectifs des deux sexes, entraînant des conséquences apocalyptiques ; d'autres, basées sur les intentions affichées par les futures parents lors des enquêtes, admettent que l'équilibre sera rapidement retrouvé et que les avantages de cette technique (notamment en vue de limiter les naissances) l'emporteront sur les inconvénients [9, p. 673]. Une fois de plus, il nous faut constater notre totale incapacité à prévoir les conséquences à long terme d'une éventuelle mise au point technique.

tifs qui se mesurent en produit national brut ou même en espérance de vie ?

Poser une telle question est grave ; il est bien difficile, face à cette interrogation, de rester cohérent avec soi-même, selon que l'on s'interroge dans le calme douillet de sa bibliothèque ou que l'on partage durant quelques instants la vie d'un de ces groupes qui nous émerveillent, mais où les enfants meurent, faute de nourriture ou de soins.

Pourrons-nous préserver la diversité des cultures sans payer un prix exorbitant ? Subi ou souhaité, un changement de l'organisation de notre planète ne peut être évité ; la parole est donc aux « utopistes ». Certains d'entre eux posent le problème en termes inattendus, ainsi Yona Friedman intitulant un de ses livres *Comment vivre entre les autres sans être chef et sans être esclave* [29, 30]. Même lorsque le monde qu'ils nous proposent nous paraît vraiment trop « différent » du nôtre, nous pouvons être à peu près sûrs que la réalité le sera plus encore.

Cet effort d'imagination, il semble que la génération, si décriée, qui s'apprête à nous succéder l'ait déjà largement entrepris. La révolte contre la trilogie métro-boulot-dodo, contre le carcan du confort douceâtre, l'affadissement du quotidien organisé, la mort insinuante des acceptations, ce sont nos enfants qui nous l'enseignent. Sauront-ils bâtir un monde où l'Homme sera moins à la merci de l'Homme ?

Annexe

Effet de la guérison des maladies sur l'évolution des fréquences des gènes

1. Maladies dues à des gènes récessifs (c'est-à-dire à des gènes qui ne s'expriment qu'à l'état homozygote)

Soient p la fréquence du gène m responsable de la maladie, $1 - p$ la fréquence du gène normal N. Nous admettons que les homozygotes (mm) ont une chance de survie jusqu'à l'âge procréateur égale à k fois celle des personnes non atteintes ($k = 0$ si la maladie est toujours mortelle, k est proche de 1 si la maladie est bénigne).

A la naissance, les proportions des divers génotypes sont données par la loi de Hardy-Weinberg :

Génotype	(NN)	(Nm)	(mm)
Fréquence	$(1-p)^2$	$2p\ (1-p)$	p^2

Après que la maladie a opéré une sélection, une fraction $(1-k)$ des homozygotes (mm) disparaît, les proportions deviennent :

$$\frac{(1-p)^2}{1-(1-k)\,p^2} \qquad \frac{2p\,(1-p)}{1-(1-k)\,p^2} \qquad \frac{kp^2}{1-(1-k)\,p^2}$$

et la fréquence du gène m devient :

$$p' = \frac{p\,(1-p) + kp^2}{1 - (1-k)\,p^2}$$

soit, si p est petit, approximativement :

$$p' \simeq p - (1-k)\,p^2;$$

la variation de fréquence due à la maladie est donc, entre deux générations :

$$\Delta\ p = -(1-k)\ p^2 \tag{1}$$

Lorsque la fréquence de la maladie dans une population semble constante, la diminution de p entraînée par la mort d'une partie des personnes atteintes est compensée par d'autres causes, mutations ou avantage sélectif des hétérozygotes par exemple. La guérison de la maladie ne modifiera pas ces autres causes ; à l'équilibre succédera donc un accroissement progressif de la fréquence du gène, accroissement que, pour simplifier, nous supposons égal et de signe opposé au Δ p que nous venons de calculer.

Adoptons comme unité de temps la génération ; on peut écrire l'équation (1) changée de signe : $\Delta\ p = (1-k)\ p^2\ \Delta\ t$,

ou, sous forme différentielle :

$$dt = \frac{dp}{(1-k)\ p^2}\ ;$$

par intégration entre la génération 0 et la génération g, on obtient :

$$g = \frac{1}{1-k}\left(\frac{1}{P_0} - \frac{1}{P_g}\right),$$

relation qui permet de calculer la durée nécessaire pour que la fréquence du gène subisse une modification donnée. La durée de doublement, par exemple, est :

$$g\ (\text{doublement}) = \frac{1}{2\ (1-k)\ P_0}$$

Pour la phénylcétonurie, qui était autrefois mortelle, $k = 0$ et $P_o = \frac{1}{105}$, d'où g (doublement) = 52,5.

Pour la mucoviscidose : $P_0 = \frac{2}{100}$ et $g = 25$.

2. Maladies dues à des gènes liés au sexe (c'est-à-dire portés par le chromosome X)

Les femmes reçoivent deux chromosomes X ; elles ne sont malades (le gène m responsable de la maladie étant supposé récessif) que si elles sont homozygotes (mm). Par contre les hommes ne reçoivent qu'un X ; ils sont malades dès que ce chromosome porte un gène m.

Soient p la fréquence de m, 1 – p celle du gène normal N. A la naissance les proportions des divers génotypes sont les suivantes :

Femmes			*Hommes*	
(NN)	(Nm)	(mm)	N –	m –
$(1-p)^2$	$2p(1-p)$	p^2	$1-p$	p

Admettons que les personnes atteintes aient une chance de survie égale à k fois celle des personnes indemnes (où k est compris entre 0 et 1). Après sélection par la maladie les proportions deviennent :

$$\frac{(1-p)^2}{1-(1-k)p^2} \quad \frac{2p(1-p)}{1-(1-k)p^2} \quad \frac{kp^2}{1-(1-k)p^2} \qquad\qquad \frac{1-p}{1-(1-k)p} \quad \frac{kp}{1-(1-k)p}$$

Les gènes m se trouvent pour les 2/3 chez les femmes et 1/3 chez les hommes, leur nouvelle fréquence est donc :

$$p' = \frac{2}{3}\left(\frac{p(1-p)+kp^2}{1-(1-k)p^2}\right)+\frac{1}{3}\left(\frac{kp}{1-(1-k)p}\right)$$

soit approximativement, si p est petit :

$$p' \simeq \frac{2p+kp}{3}$$

ce qui correspond à une variation de fréquence :

$$\Delta p = \frac{(k-1)p}{3}$$

La guérison de la maladie, rompant un équilibre, entraîne un accroissement de fréquence égal à $\frac{(1-k)}{3}p$.

Par intégration, comme dans le cas précédent, on obtient :

$$g = \frac{3}{1-k} Lg \frac{P_g}{P_0}$$

Le temps de doublement est donc :

$$g \text{ (doublement)} = \frac{2,1}{1-k}$$

En admettant, pour l'hémophilie, k = 0,5, la durée de doublement de la fréquence est, pour cette maladie, de $\frac{2,1}{1-0,5} \simeq 4$ générations.

Références

1. Achard P. *et al., Discours biologique et Ordre social*, Paris, Éd. du Seuil, 1977.
2. Beckwith J., *Social and Political Uses of genetics in the United States : past and present,* Annales New York Academy, *265,* 1976, p. 46-58.
3. de Benoist A., « Hérédité de l'intelligence : le débat est ouvert », *Le Figaro,* 19-20 novembre 1977, p. 26.
4. Bergues H., *La Prévention des naissances dans la famille,* Paris, PUF-INED, 1960.
5. Bernard J. et Ruffié J., *Hématologie géographique,* tome I, *Écologie humaine, caractères héréditaires du sang,* Paris, Masson, 1966.
6. Biraben J.N., « Essai sur l'évolution du nombre des hommes », *Actes du Congrès international de la population,* Mexico, 1977, à paraître.
7. Blum H.F., « Does the melanin pigment of human skin have a adaptative value ? » in Korn, *Human Evolution,* New York, Holt, Rivehart and Winston, 1967, p. 362-384.
8. Bocquet C., « Sélection », *Encyclopaedia universalis, 14,* p. 849-851.
9. Bodmer W. et Cavalli-Sforza L.L., *Genetics, Evolution and Man,* San Francisco, Freeman, 1976.
10. Bois E. et al., « Cluster of cystic fibrosis in a limited area of Britanny (France) », *Clinical Genetics,* 1978, à paraître.
11. Breguet G., *Le Village de Tenganan, Bali,* thèse de doctorat en cours de rédaction, université de Genève.
12. Burt C., « The Genetic Determination of differences in intelligence : A study of monozygotic twins reared together and apart », *Brit. J. Psychol., 57,* 1966, p. 137-153.
13. Capelle J., « Les CES ont-ils échoué ? », *Le Monde,* février 1977.
14. Changeux J.-P., « Déterminisme génétique et modulation épigénétique

des réseaux de neurones », in A. Lichnerowicz et F. Perroux, *L'Idée de régulation dans les sciences,* Paris, Maloine-Doin, 1977.

15. Chapman A. et Jacquard A., « Un isolat d'Amérique centrale : les Indiens jicaques du Honduras », *Génétique et Populations,* Paris, PUF-INED, 1971, p. 163-185.
16. Chaventre A., « Les Touareg Kel Kummer », in A. Jacquard, *Génétique et Populations humaines,* Paris, PUF, 1974.
17. Chaventre A. et Jacquard A., « Un " isolat " du Sud Sahara : les Kel Kummer, VII. Conclusions provisoires », *Population, 29,* 1974, p. 528-534.
18. Courgeau D., « Les enfants nés à l'étranger », *Enquête nationale sur le niveau intellectuel des enfants d'âge scolaire,* Paris, PUF-INED, p. 117-135.
19. Crozat, *Géographie universelle,* Paris, Amable Costes, 1827.
20. Dague P., « La mesure de l'intelligence », *Actes du colloque « Génétique et mesure de l'intelligence »,* Paris, MURS, 1977, à paraître.
21. Dausset J. et Colombani J., *Histocompatibility Testing, 1972,* Copenhague, Munksgaard, 1973.
22. Dubertret L., *L'Homme et son programme,* Paris, Denoël, 1975.
23. Eysenck H., *L'Inégalité de l'homme,* Paris, Copernic, 1977.
24. Feingold J. *et al.,* « Fréquence de la fibrose kystique du pancréas en France », *Annales de génétiques, 17,* 1974, p. 257-259.
25. Feldman M. et Lewontin R., « L'héritabilité, concept inutile », *Actes du colloque « Génétique et mesure de l'intelligence »,* Paris, MURS, 1977, à paraître.
26. Fisher R. A., *The Genetical Theory of natural selection,* Oxford, Clarendon Press, 1930.
27. Franklin I. et Feldman M., « Two loci with two Alleles : linkage equilibrium and linkage disequilibrium can be simultaneously stable », *Theor. Popul. Biol., 12,* 1977, p. 95-113.
28. Frezal J., Feingold J. et Tuchmann-Duplessis H., *Génétique, Maladies du métabolisme et Embryopathie,* Paris, Flammarion, 1973.
29. Friedman Y., *Comment vivre entre les autres sans être chef et sans être esclave,* Paris, J.J. Pauvert, 1974.
30. Friedman Y., *L'Utopie réalisable,* Paris, 10-18, 1975.
31. Genevois L., « Les nouveaux blés et la " révolution verte " », *Journ. d'Agriculture et Botanique appliquée, 1, 2, 3,* 1975, tome XXII, p. 47-55.

32. Georges A. et Jacquard A., « Effets de la consanguinité sur la mortalité infantile », *Population, 23,* 1968, p. 1055-1064.
33. Gessain R., *Ammassalik ou la civilisation obligatoire,* Paris, Flammarion, 1970.
34. Gillife O., « Crucial Data was faked by eminent pzychologist », *The Sunday Times,* 24 octobre 1976, 1-2.
35. De Grouchy J., *Les Nouveaux Pygmalions,* Paris, Gauthier-Villars, 1973.
36. Hartl D., *Our Uncertain Heritage – Genetics and human diversity,* Philadelphia, J.B. Lippincott, 1977.
37. Hebert J.P., *Race et Intelligence,* Paris, Copernic, 1977.
38. Hiernaux J., *Égalité ou Inégalité des races ?,* Paris, Hachette, 1969.
39. Hillel M., *Au nom de la race,* Paris, Fayard, 1975.
40. Jacquard A., *Génétique des populations humaines,* Paris, PUF, 1974.
41. Jacquard A., *Concepts en génétique des populations,* Paris, Masson, 1977.
42. Jencks C. et al., *Inequality : A Reassessment of the Effect of Family and Schooling in America,* New York, Basic Book, 1972.
43. Jensen A., « How can we boost IQ and Scholastic Achievement ? », *Harvard Educ. Rev., 39,* p. 1-123.
44. Jensen A., « Kinship Correlations reported by Sir Cyril Burt », *Behavioral Genetics, 4,* 1974, p. 1-28.
45. Kamin L., « Heredity, intelligence, politics and psychology I », *The IQ Controversy,* New York, Pantheon Books, 1976, p. 242-264.
46. Karlin S., « General Two-Locus Selection Models : some objectives, results and interpretations », *Theor. Popul. Biology, 7,* 1975, p. 364-398.
47. Kempthorne O., Pollack Ed. et Bailey Th., *Proceedings of the international conference on quantitative genetics,* Iowa University Press, 1977.
48. Kimura M. et Ohta T., *Theoretical Aspects of population genetics,* Princeton University Press, 1971.
49. Langaney A., « La quadrature des races », *Génétique et Anthropologie, Science et Vie,* septembre 1977, p. 83-127.
50. Langaney A., « Le paradoxe du sexe et de la fortune », *Le Monde,* 1er février 1978.
51. Lefevre-Witier Ph., « Structure génétique des systèmes sanguins erythrocytaires et sériques chez les Kel Kummer », *Population, 29*, 1974, p. 517-527.

52. Lerner I. M., *Heredity, Evolution and Society,* San Francisco, Freeman, 1968.

53. Leviandier Th., « Loi de probabilité du nombre d'ancêtres et de descendants dans une population fermée », *Social Sc. Inform., 6, 14,* 1975, p. 183-216.

54. Lewontin R., *The Genetic Basis of evolutionary change,* Columbia University Press, 1974.

55. Lewontin R., « The Analysis of variance and the analysis of causes », *The IQ Controversy,* New York, Pantheon Books, 1976, p. 179-193.

56. Loehlin J., Lindzey G. et Spuhler J., *Race, Differences and Intelligence,* San Francisco, Freeman, 1975.

57. Malécot G., *Les Mathématiques de l'hérédité,* Paris, Masson, 1948.

58. Mendel G., « Versuche über Pflanzen-Hybriden », in Gedda L., *Novant Anni delle Leggi Mendeliane,* p. 3-100. *Istituto Gregorio Mendel,* Roma, 1956.

59. Montaigne, *Œuvres complètes,* Paris, Pléiade – Gallimard, 1962.

60. Morin E., *Le Paradigme perdu : la nature humaine,* Paris, Éd. du Seuil, 1973.

61. Morin E. et Piattelli-Palmarini M., *L'Unité de l'homme,* Paris, Éd. du Seuil, 1974.

62. Morton N. E., « Morbity of children from consanguineous marriages », *Progress in Medical Genetics,* New York, Grune and Sratton, 1961, p. 261-291.

63. Mourant A. E. et al., *The Distribution of the human blood groups and other polymorphisms,* Oxford University Press, 1976.

64. Nadot R. et Vayssex G., « Apparentement et identité : algorithme du calcul des coefficients d'identité », *Biometrics, 29,* 1973, p. 347-359.

65. Neel J. V., « Diabetes Mellitus : A " thrifty " genotype rendered detrimental by " progress " ? », *Am. Journ. Hum. Genet., 14,* 1962, p. 353.

66. Nei M., *Molecular Population Genetics and Evolution,* Amsterdam, North-Holland, 1975.

67. Olivier G. et al., « L'accroissement de la stature en France. II. Les causes du phénomène : analyse univariée », *Bull. et Mém. soc. anthrop.,* Paris, 1977, XIII, p. 205-214.

68. Petit C. et Suckerkandl E., *Génétique des populations. Évolution moléculaire,* Paris, Hermann, 1976.

69. Prigogine I., « L'ordre par fluctuations et le système social », in A. Lich-

nerovicz et F. Perroux, *L'Idée de régulation dans les sciences*, Paris, Maloine – Doin, 1977, p. 153-191.

70. Reed T. et Neel J., « Huntington's chorea in Michigan. II. Selection and Mutation », *Am. Journ. Human Genet.*, *11*, 1959, p. 107-136.
71. Richard J. P., « Intelligence », *Encyclopaedia universalis*, *8*, 1973, p. 1081-1084.
72. Robert J. M., « La génétique et la vie », *Cah. med. lyonnais*, Lyon, 1966.
73. Ropartz C., « L'allotypie des immunoglobulines humaines », *Bull. de l'Institut Pasteur*, *69*, 1971, p. 107-152.
74. Rosenthal R., *On the social psychology of the self-fulfilling prophecy : further evidence for Pygmalion Effects and their mediating mechanisms*, New York, MSS Modular Publication, 1974, Module, 53, p. 1-28.
75. Rosenthal R. et Jacobson L., *Pygmalion à l'école*, Paris, Casterman, 1971.
76. Ruffie J., *De la biologie à la culture*, Paris, Flammarion, 1976.
77. Russel E. S., « Report of the ad-hoc Committee ; resolution on genetics, race and intelligence », *Genetics*, *83*, suppl. p. 99-101 s.
78. Schul W. J. et Neel J. V., *The Effects of inbreeding on japanese children*, New York, Harper and Row, 1965.
79. Segalen M. et Jacquard A., « Isolement sociologique et isolement génétique », *Population*, *28*, 1973, p. 551-570.
80. Sentis Ph., « La naissance de la génétique au début du XXe siècle », *Cahiers d'études biologiques*, *18*, *19*, 1970, p. 73-85.
81. Stern C., *Principles of human genetics*, San Francisco, Freeman, 1960.
82. Sutter J., *L'Eugénique*, Paris, PUF-INED, 1950.
83. Sutter J., « Fréquence de l'endogamie et ses facteurs au XIXe siècle », *Population*, *23*, 1968, p. 303-324.
84. Sutter J. et Tabah L., « Effets des mariages consanguins sur la descendance », *Population*, *6*, p. 59-82.
85. Thuillier P., « Les scientifiques et le racisme », *La Recherche*, Paris, mai 1974.
86. Tobias C. A., « Biological Effects of radiation », *Encyclopaedia britannica*, *15*, 1977, p. 378-392.
87. Von Verschuer O., *Manuel d'eugénique et Hérédité humaine*, Paris, Masson, 1943.
88. Vianson-Ponté P., « Ce qu'on n'ose pas dire », *Le Monde*, 18 juin 1977.
89. Wade N., « IQ and heredity : suspicion of fraud beclouds classic experiment », *Science*, 1976, p. 916-919.

Table

Du même auteur

AUX MÊMES ÉDITIONS

Moi et les Autres
coll. « Point-Virgule », 1983

Au péril de la science ?
coll. « Points Sciences », 1984

L'Héritage de la liberté
coll. « Science ouverte », 1986
coll. « Points Sciences », 1991

Cinq Milliards d'hommes dans un vaisseau
coll. « Point-Virgule », 1987

Abécédaire de l'ambiguïté
coll. « Point-Virgule », 1989

Moi je viens d'où ?
coll. « Petit Point », 1989

C'est quoi l'intelligence ?
coll. « Petit Point », 1989

Voici le temps du monde fini
1991
coll. « Points Essais », 1993

Un monde sans prisons ?
(avec la contribution d'Hélène Amblard)
coll. « Point-Virgule », 1993

E = CM2
coll. « Petit Point », 1993

Absolu
avec l'Abbé Pierre
(dialogue animé par Hélène Amblard)
1994

CHEZ D'AUTRES ÉDITEURS

Structure génétique des populations
Masson, 1970

Les Probabilités
PUF, 1974
et coll. « Que sais-je ? », 1992

Génétique des populations humaines
PUF, 1974

L'Étude des isolats. Espoirs et limites
(sous la direction d'A. Jacquard)
PUF-INED, 1976

Concepts en génétique des populations
Masson, 1977

Inventer l'homme
Éd. Complexe, Bruxelles, 1984
et coll. « Complexe poche », 1991

Les Scientifiques parlent...
(sous la direction d'A. Jacquard)
Hachette, coll. « La force des idées », 1987

Idées vécues
(en collaboration avec Hélène Amblard)
Flammarion, 1989
et coll. « Champs », 1991

Tous pareils, tous différents
(en collaboration avec Jean-Marie Poissenot)
Nathan, 1991

La Légende de la vie
Flammarion, 1992

Deux Sacrés Grumeaux d'étoiles
(en collaboration avec Pef)
Éd. de la Nacelle, 1992

L'Utopie ou la Mort
Canevas, 1993

L'Explosion démographique
Flammarion, 1993

Qu'est-ce que l'hérédité ?
Grancher, 1993

Le Mime
(avec Marie-José Auderset
et Béatrice Poncelet)
Joie de lire, 1994

Les Hommes et leurs gènes
Flammarion, 1994

Science et Croyances
(avec Jacques Lacarrière)
Écriture, 1994

J'accuse l'économie triomphante
Calmann-Lévy, 1995

IMPRIMERIE BRODARD ET TAUPIN À LA FLÈCHE (1-96)
DÉPÔT LÉGAL 4e TR. 1981. N° 5972-7 (1353N-5)